図解入門
How-nual
Visual Guide Book

よくわかる最新
パワー半導体の基本と仕組み

進化するIGBTの課題と発展形を探る

[第3版]

佐藤 淳一 著

秀和システム

●注意
(1) 本書は著者が独自に調査した結果を出版したものです。
(2) 本書は内容について万全を期して作成いたしましたが、万一、ご不審な点や誤り、記載漏れなどお気付きの点がありましたら、出版元まで書面にてご連絡ください。
(3) 本書の内容に関して運用した結果の影響については、上記(2)項にかかわらず責任を負いかねます。あらかじめご了承ください。
(4) 本書の全部または一部について、出版元から文書による承諾を得ずに複製することは禁じられています。
(5) 商標
本書に記載されている会社名、商品名などは一般に各社の商標または登録商標です。

はじめに

　平成23年（2011年）に出版された「図解入門よくわかる最新パワー半導体の基本と仕組み」、そして、2018年に改定した第2版を最新情報に改訂しました。ここで、初版からの読者に御礼を申し上げます。

　今回は、第2版に対して主に下記の2点を変更しました。第一に第1～3章までを、これまで以上にわかりやすくするために改稿を加えました。特にパワー半導体を切り口にした半導体の入門書としての面を強調して、MOS LSIとの相違点がわかるように努めています。

　第二に、パワー半導体業界に参入したメーカについて、半導体産業の流れの中での動向を筆者なりにまとめました。

　想定する読者層は従来どおり「パワー半導体に興味を持つビジネス関係者や学生」として、ある程度は半導体に関する基礎知識を持っていると想定しています。もちろん、パワー半導体に関するビジネスに関わりたい人、これからパワー半導体の道に進みたい人も対象としています。そのため、「浅く・広く」という姿勢で書いております。具体的には色々な立場の人が読むことを考え、パワー半導体はどういうものであり、その歴史や動作の原理、応用、材料、プロセス、参入メーカなどを切り口として取り上げました。もちろん、文系出身者にもわかるように書いたつもりではありますが、材料やデバイスの原理的な説明では、理系寄りの話も出ます。全体像を得るために最初は、「わからないところを飛ばして読んで」もかまわないと思います。

　さて、本書は図解入門シリーズということで、筆者のポリシーでもありますが、
・複雑なものは避けイメージがわかりやすい図や表で統一
・実際の姿に近付けるため半導体の製造現場に近い視点で解説
・歴史的な経緯にもふれることで現状を理解しやすく説明する
などに留意しました。

　各章の構成については、巻頭の「本書の表記法・使い方」をご一読ください。

　筆者が思ったことが実現されて、本書が多く人のお役に立つことになれば望外の幸いです。

　筆者は長年に亘って半導体関係の仕事をしてきましたが、その中で多くの方々からご教示・ご助言をいたきました。それらが、本書の骨子になっております。巻末に参考文献などを挙げましたが、書き切れていない分もあるかと思います。前述の方々には、この場を借りて御礼を申し上げますとともに、多少なりとも半導体業界への恩返しになればと思っております。

令和4年（2022年）5月　佐藤淳一

よくわかる
最新パワー半導体の基本と仕組み [第3版]

CONTENTS

はじめに ……………………………………………………………… 3
本書の表記法・使い方 ……………………………………………… 8

第1章 パワー半導体の全貌を俯瞰する

- 1-1 そもそもパワー半導体とは何か？ ………………………… 10
- 1-2 パワー半導体を人体にたとえると？ ……………………… 13
- 1-3 身近なパワー半導体の使用例 ……………………………… 16
- 1-4 電子情報産業の中でのパワー半導体の位置付け ………… 19
- 1-5 半導体デバイスの中でのパワー半導体 …………………… 21
- 1-6 トランジスタ構造の違い …………………………………… 24

第2章 パワー半導体の基本と動作

- 2-1 半導体の基本と動作 ………………………………………… 28
- 2-2 p-n接合の話 ………………………………………………… 31
- 2-3 トランジスタの基本と動作 ………………………………… 34
- 2-4 バイポーラ型の基本と動作 ………………………………… 37
- 2-5 MOS型の基本と動作 ………………………………………… 40
- 2-6 パワー半導体の歴史を振り返る …………………………… 43
- 2-7 パワーMOSFETの登場 ……………………………………… 46
- **コラム** 片面と両面 ……………………………………………… 48
- 2-8 バイポーラとMOSの融合体IGBTの登場 ………………… 49
- 2-9 信号の変換との比較 ………………………………………… 51

CONTENTS

第3章 各種パワー半導体動作と役割

3-1 一方通行のダイオード……………………………………… 56
3-2 大電流のバイポーラトランジスタ………………………… 60
3-3 双安定なサイリスタ………………………………………… 65
3-4 高速動作のパワーMOSFET………………………………… 68
3-5 エコ時代のIGBT……………………………………………… 72
3-6 パワー半導体の課題を探る………………………………… 76

第4章 パワー半導体の用途と市場

4-1 パワー半導体の市場規模…………………………………… 80
4-2 電力インフラとパワー半導体……………………………… 82
4-3 交通インフラとパワー半導体……………………………… 85
4-4 自動車とパワー半導体……………………………………… 89
4-5 情報・通信とパワー半導体………………………………… 92
4-6 家電とパワー半導体………………………………………… 94

第5章 パワー半導体の分類

5-1 用途で分類したパワー半導体……………………………… 98
5-2 材料で分類したパワー半導体………………………………100
5-3 構造・原理で分類したパワー半導体………………………103
5-4 容量で見たパワー半導体……………………………………107

第6章 パワー半導体用シリコンウェーハ

6-1 シリコンウェーハとは？……………………………………110
6-2 シリコンウェーハの作製法の違い…………………………113
6-3 FZ結晶の特徴…………………………………………………116
6-4 なぜFZ結晶が必要か？………………………………………118
6-5 シリコンの限界とは？………………………………………121

第7章 パワー半導体プロセスの特徴

- 7-1　パワー半導体とMOS LSIの違い……………………124
- 7-2　構造の工夫………………………………………128
- 7-3　エピタキシャル成長を多用…………………………131
- 7-4　裏と表からの露光プロセス…………………………134
- コラム　アライナー思い出……………………………137
- 7-5　裏面の活性化はどうするのか？……………………138
- 7-6　ウェーハの薄化プロセスとは？……………………141
- 7-7　後工程と前工程との違い…………………………144
- 7-8　ダイシングもちょっと異なる………………………147
- 7-9　ダイボンディングの特徴…………………………151
- 7-10　ボンディング用のワイヤも太くなる………………153
- 7-11　封止材料も変化…………………………………156

第8章 パワー半導体メーカの紹介

- 8-1　脱ロードマップ時代の到来…………………………160
- コラム　ロードマップはペースメーカ…………………162
- 8-2　勢いのある"日の丸"パワー半導体…………………163
- 8-3　垂直統合モデルが残る総合電機メーカ………………167
- 8-4　専業メーカが生き残る？……………………………170
- 8-5　欧州メーカは垂直統合型？…………………………173
- コラム　創業者の名前を社名に…………………………175
- 8-6　米国メーカの動向…………………………………176

第9章 シリコンパワー半導体の発展

- 9-1　パワー半導体の世代とは？…………………………180
- 9-2　IGBTに求められる性能……………………………183
- 9-3　パンチスルーとノンパンチスルー…………………185
- 9-4　フィールドストップ型の登場………………………188

9-5　IGBT型の発展形を探る……………………………………191
9-6　IPM化が進むパワー半導体………………………………194
9-7　冷却とパワー半導体………………………………………197

第10章 シリコンの限界に挑むSiCとGaN

10-1　8インチ径も出てきたSiCウェーハ……………………200
10-2　SiCウェーハの製造方法…………………………………203
10-3　SiCのメリットと課題とは？……………………………206
10-4　実用化が進むSiCインバータ……………………………209
10-5　GaNウェーハの難しさ—ヘテロエピとは？……………212
10-6　GaNのメリットと課題……………………………………214
10-7　GaNでノーマリーオフへ挑戦！…………………………216
10-8　ウェーハメーカの動向……………………………………219
コラム　時代は巡る……………………………………………221

第11章 パワー半導体が拓く脱炭素時代

11-1　脱炭素時代とパワー半導体………………………………224
11-2　再生可能エネルギーに欠かせないパワー半導体………226
11-3　スマートグリッドとパワー半導体………………………228
11-4　電気自動車（EV）とパワーデバイス……………………232
11-5　21世紀型交通インフラとパワー半導体…………………235
11-6　期待される横断的テクノロジーとしてのパワー半導体…238
コラム　素材、キーデバイスの生き残り……………………240

索引……………………………………………………………………241
参考文献………………………………………………………………246

本書の表記法・使い方

【表記法】
　基本的に現行で主流に使用されている表記にするようにしました。
① 例えば、MOSFETですが、古い本には「MOS FET」とか「MOS-FET」という表記が多かったのですが、最近は学会や英語の本の表記でも「MOSFET」と記しているので、本書でも「MOSFET」にしました。FETが付く表記、例えば、「JFET」もこのようにしました。同様に「MOS LSI」および「p-n接合」もこの表記にしました。
② ウェーハ径の表記は150mm以上ではmm表記で行うのですが、業界紙や新聞では慣習でインチ表記しているため、本書では混乱を避けるために敢えてインチ表記にしておきました。
③ 欧文のカタカナ表記は、業界や時代によって表記が異なることが多く、あえて古い表記のままで記載している箇所があります。また、一般語と固有名詞で音引きの有無や表記が異なる場合、参考資料の表記を優先する場合があり、異なる表記が混在する場合があります。

【使い方】
　各自のやりやすい方法で読んでいただければと思いますが、参考までに著者の意図を記しておきます。本書では各内容について「二段階の構成」にしました。
① パワー半導体デバイスについては第1章から第3章でふれていますが、章が進むにつれ、より深く掘り下げるという構成にしました。少しくどく感じる点はご容赦願います。デバイスの原理や動作は限られた紙面ですので、わかりやすさを優先しました。詳しくは専門書に進んでください。更に第9章でより新しい流れにふれています。
② 応用については第4章と第11章でふれています。第4章ではこれまでの実績も含めた内容にし、第11章はより未来志向の内容にしました。
③ パワー半導体の基板材料について、シリコンは第6章でふれ、更に新しい材料については第10章でふれる構成にしました。
④ プロセスは第7章でふれています。

　式や回路図はなるべく使用しないようにしましたが、一部は使用しております。抵抗感のある方は文章を追っていただければと思います。また、あまり良く知られていない用語は脚注（＊）という形で簡単な説明を入れました。

パワー半導体の全貌を俯瞰する

この章ではパワー半導体がどういうものかを広い視点からフォーカスして見てゆきます。パワー半導体の位置付けや役割、LSIとの違いを概観したいと思います。

図解入門
How-nual

1-1
そもそもパワー半導体とは何か？

　まず、はじめにパワー半導体とは何かを定義して次節以降につなげてゆきたいと思います。

▶▶ "パワー"の慣用例に惑わされない

　「パワー」という言葉は日本語になっていますが、その意味は「体力」とか「勢力」などの意味で使用されています。更にはパワースポットなど英語としては通用しないような「霊力」のような意味で使うことがあります。

　本書でいうパワーとは「力」のことです。英語で発電所のことをPower HouseやPower Stationといい、Power Lineは送電線のことです。また電源のことはPower Supplyといいます。前にElectricと付けなくても電力の意味で用いられます。すなわちパワー半導体は図表1-1-1に示すように電気的な制御で入力側の「電力の変換」を行い別の形で出力するデバイスのことです。ここでは、電気的な制御ということが重要です。なぜなら機械的な制御では経年変化が起こりやすくなるからです。なお、「電力の変換とは何か」は後でふれます（1-2を参照）。

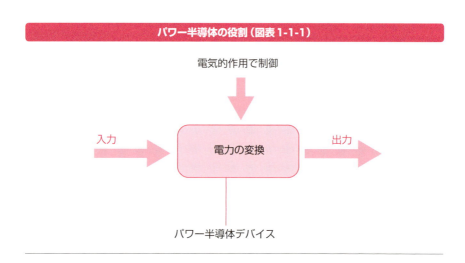

パワー半導体の役割（図表1-1-1）

1-1 そもそもパワー半導体とは何か？

　最近は半導体不足のニュースを聞きますので、半導体という用語にもふれます。本来「半導体」とは固体の導電性に関する物性を示す用語ですが、半導体製品とか半導体デバイスのことも含めて使用しています。したがって、半導体不足は、正確には「半導体製品の不足」というべきでしょうが、こちらは慣例にならい本書でも半導体という用語は半導体製品や半導体デバイスの意味でも使用します。半導体とはその基板材料から始まり、製造装置や製造プロセス、半導体製品、その応用製品まで含め図表1-1-2に示すような上流から下流の流れになり、電子情報産業の一端を担います。

▶▶ 他の半導体デバイスとの大きな違い

　パワー半導体と他の半導体デバイスの大きな違いは前記のように電力の変換を行うものですからデバイス中を流れる電流の大きさが桁違いだと思ってください。他の半導体デバイスは信号の伝達や変換などが主なので電流はわずかの場合が多いです。どのような半導体デバイスがあるかは1-5でふれます。

半導体とは？　上流から下流まで（図表1-1-2）

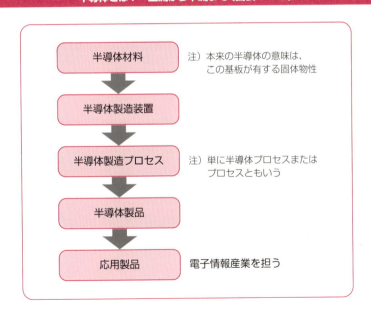

半導体材料　　注）本来の半導体の意味は、この基板が有する固体物性
半導体製造装置
半導体製造プロセス　　注）単に半導体プロセスまたはプロセスともいう
半導体製品
応用製品　　電子情報産業を担う

1-1 そもそもパワー半導体とは何か？

したがって、トランジスタの構造（第2章を参照）やその製造プロセス（第7章を参照）も大きく違ってきますし、基板材料（第6章や第10章を参照）も異なってきます。もちろん参入メーカ（第8章を参照）も異なってきます。

▶▶ 自動車産業と比較する

半導体産業と自動車産業を本書の関連する部分で比較してみると図表1-1-3に示すように産業基盤としては共通な部分があります。その製品は自動車産業であればスポーツカーから大型トラックまで色々なものがあるように半導体製品にも色々なものがあると推測されます。したがって、その製造方法や参入メーカも色々あることが予想されます。それらについては第7章や第8章でふれます。

ただ、違いは色々あるかと思いますが、その最終製品の荷姿の大きさが全く異なることを本書では強調しておきます。第8章で少しふれるからです。

自動車産業と半導体産業の比較（図表1-1-3）

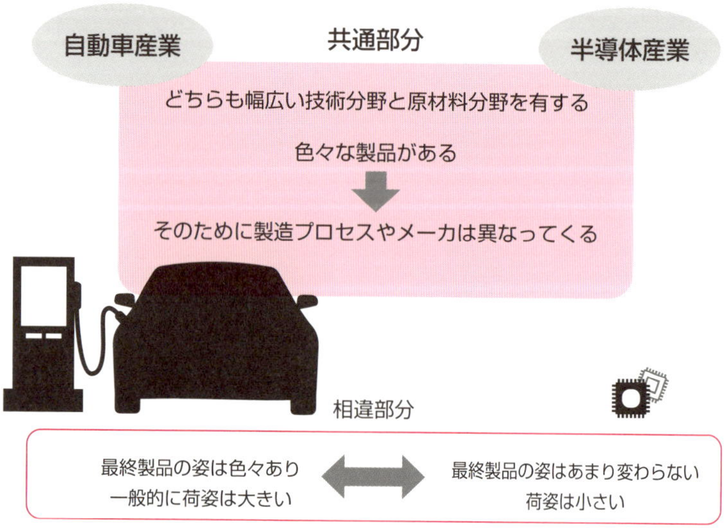

| 自動車産業 | 共通部分 | 半導体産業 |

どちらも幅広い技術分野と原材料分野を有する

色々な製品がある
↓
そのために製造プロセスやメーカは異なってくる

相違部分

| 最終製品の姿は色々あり 一般的に荷姿は大きい | ⇔ | 最終製品の姿はあまり変わらない 荷姿は小さい |

1-2
パワー半導体を人体にたとえると？

ここでは、パワー半導体が他の半導体デバイスと比較して、どのような役割をするのかを人体にたとえて見てみます。

▶▶ パワー半導体の役割は？

　半導体デバイスは様々なところに使用されています。しかし、半導体デバイスは前節でも述べたように電気で動くデバイスですから、情報などを電気信号に変えて半導体デバイスに入力され、内部で別の情報に変換されて出力されるという形をとります。このように半導体デバイスは情報やエネルギーの発生装置ではなく、単なる変換装置です。

　よく入門書や講演で各種半導体デバイスを人体にたとえることがあります。たとえば、MPU*やメモリは情報の演算処理や記憶をつかさどるので脳に、センサなどは目や耳などの五感に、太陽電池はエネルギーを生み出す（正確にいうと太陽エネルギーを電気エネルギーに変換しているだけです）ので口や食道も含めた、胃腸などの消化器官にたとえるのは直感的に理解しやすいと思います。

　パワー半導体はどうでしょう？　手足の筋肉というイメージが湧くかもしれませんが、パワー半導体が動くわけではなく、実際に動くのはモータやアクチュエータ、小さいものではMEMS*などです。なお、アクチュエータは作動部のある（小型）機器です。したがって、これらが手足の筋肉であり、パワー半導体はこれらのデバイスへ供給する電力を供給・制御するわけですから、血管や神経のようなものかもしれません。図表1-2-1に筆者なりのイメージを描いてみました。

＊MPU　マイクロプロセッシングユニット（Micro Processing Unit）と呼ばれ、コンピュータで演算やデータ処理を行う心臓部であるCPU（Central Processing Unit：中央演算処理装置と訳される）を単独の1チップに形成したもの。
＊MEMS　Micro Electro Mechanical Systemの略。電子デバイスとメカニカルな駆動をするデバイスの融合体で、加速度センサなどが代表例。

1-2 パワー半導体を人体にたとえると？

人体とパワー半導体の関連付け（図表 1-2-1）

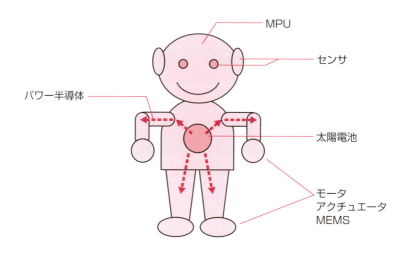

▶▶ 電力の変換とは？

パワー半導体の働きを一言でいうとすれば、前記のように「電力の変換」です。電力の変換とは具体的にどんなことをするのでしょうか？

図表1-2-2にそれをまとめてみました。電気には**交流**（AC：Alternating Current）と**直流**（DC：Direct Current）があることはおわかりだと思いますが、それらをお互いに変換することが「電力の変換」です。

パワー半導体の4つの役割（図表 1-2-2）

①交流（AC）から直流（DC）への変換：コンバータ（整流作用）
②直流（DC）から交流（AC）への変換：インバータ
③交流（AC）から交流（AC）への変換：
④直流（DC）から直流（DC）への変換：

1-2 パワー半導体を人体にたとえると？

　ひとつは**順変換**といわれるもので**コンバータ**（converter）と呼びます。野球でプレーヤーを「外野から内野にコンバートする」などといいますが、それと同義です。順変換は交流を直流に変換することで、いわゆる**整流作用**が主です。整流作用については、3-1で詳しく述べます。

　逆に直流を交流に変換することを**逆変換**といいます。この働きをするものを**インバータ**（inverter）と呼びます。今後、この用語が頻繁に出てきますので覚えておいてください。この他に交流どうしで、周波数や電圧の変換をするもの、直流どうしで電圧の変換をするものがあります。直流の場合はいうまでもないことですが、周波数の変換はありません。この分類は電流の種類によって変換を分類したものです。

　一方、変換するものを電流、電圧、周波数として分類すると図表1-2-3に示したようになります。どちらも頭に入れておくと便利だと思います。③は交流の場合しかありません。

　たとえば、4-3でふれる電車・電気機関車の電力交換は、これらの図表に挙げたものです。具体的には4-3で述べます。パワー半導体でどう変換するかは第3章以降でふれてゆきます。

　パワー半導体は損をしているかもしれません。たとえば画像処理用のLSI（23ページの脚注）なら、目でその動きが実感できます。しかし、電力の変換といっても目で実感できないからです。パワー半導体は「縁の下の力持ち」のような役割をしていると考えてください。

パワー半導体の3つの役割（図表1-2-3）

①交流➡直流への変換、直流➡交流の変換（前者が順変換、後者が逆変換）
②電圧の変換（特に直流）：昇圧と降圧
③周波数変換（交流の場合）

　ところでインバータという用語は同じ半導体デバイスの分野でもその用途が、ここで述べたインバータとは異なる働きをするものがあります。それはロジックLSIの基本ゲートのひとつですが、その働きについては2-9で参考までに取り上げます。

1-3
身近なパワー半導体の使用例

ここではパワー半導体が我々の生活で身近に使用されている例を示し、パワー半導体全体をつかむために色々な視点からその特徴に迫っていきます。それにより以降の章や節の理解に役立てていただきたいと考えます。

▶▶ 家庭での例

　国内の電気供給会社の名称にはすべて「○○電力」と電力が付いているので、「電力」という言葉から発電元とか送電線を流れる大きな電力を連想しがちです。ここでは、あくまで電力＝電圧×電流と捉えて、大電力から小電力まで規模に依らず頭に描いてみてください。

　さて、パワー半導体は家庭のどこに「入っている」のでしょうか？

　ここで我々の生活レベルでもパワー半導体が活躍している例を挙げてみましょう。一般家庭に届く電力は交流電圧100V（ボルト、以降省略）で電流は家庭によって違いますが、数10A（アンペア、以降省略）です。本書を蛍光灯の下でご覧になっている読者も多いことでしょう。蛍光灯は家庭のコンセント（交流100V）から電気を供給されています。蛍光灯の原理は、蛍光管のフィラメントを加熱し、電極間に電圧をかければ放電し、電気エネルギーを光に変換して暗い中でも本が読める環境にしてくれます。

　以前の蛍光灯は、ちらつきが感じられました。これは蛍光灯が毎秒100から120回点滅しているためです。

　その後、いわゆるインバータ照明が実用化され、「ちらつき」がなくなりました。これは家庭用100V（50Hzまたは60Hz）の交流電源をいったん整流回路で直流にして、更に直流をインバータ回路で約50kHz（50,000Hz）の交流電源を作って放電しているからです。50kHzは毎秒5万回ということなので、人間の目ではちらつちを感じられないということでしょう。

　ここで電力の変換が2回行われていることがわかります。図表1-3-1に示す、交流→直流→交流の流れです。これが簡単に行えるのは、整流回路やインバータ回路にパワー半導体が「入ってる」からです。

いったん、商用電源の交流を直流に変換する理由は電圧を望むものに変え、かつ別の周波数の交流に変換するのに便利と理解すると良いでしょう。

インバータ照明の構成模式図（図表1-3-1）

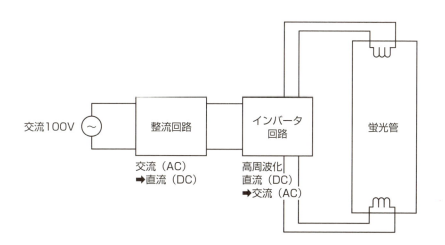

▶▶ インバータ制御とは？

次の例を見てゆきましょう。エアコンでもインバータ制御という言葉を聞きます。実際、最近のエアコンは殆どがインバータ制御です。簡単にいうとエアコンのヒートポンプを動かす圧縮器（コンプレッサー）のモータの回転数をインバータ制御で変換することで省エネ化を図るものです。

モータの回転数が上がれば、温度の変化が大きくなり、下がれば温度の変化が小さくなるわけです。インバータ制御以前は、モータのオン・オフで制御していました。これだと電力のロスがありますが、インバータ制御ならモータの回転をオン・オフすることなく制御して温度をコントロールできるので省エネになります。

図表1-3-2に簡単にその仕組みを示しておきます。モータのオン・オフで行う場合を色線で示していますが、インバータ制御で行う黒線の方がスムーズに温度調整ができることがわかります。

このインバータ制御はモータに供給する交流の周波数と電圧を変換し、効率良く

1-3 身近なパワー半導体の使用例

温度コントロールを行うわけです。これを行うのがパワー半導体です。詳しくは後で述べます。

本書をエアコンの効いた部屋で蛍光灯の下でご覧になっている読者の皆さんはパワー半導体のお世話になっているということになります。

このようにパワー半導体は目に見えないところで我々の身近な生活でも活躍している例をふたつ紹介しました。

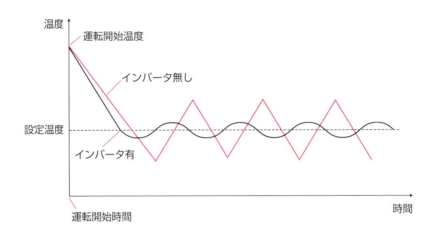

インバータエアコンの動作の比較模式図（図表1-3-2）

その他に身近にある例としては、パソコンなどの電子機器のACアダプターです。これはやはり交流100Vの商用電源を整流して直流に交換して（1-2に出てきましたがコンバータといいます）使用します。整流には3-1でふれるダイオードを用います。なお、アダプターが重いのは鉄芯にコイルを巻いたトランスが入っているためで、これで、いったん電圧を下げる役割をしています。

1-4
電子情報産業の中でのパワー半導体の位置付け

まずは、市場が世界規模で300兆円といわれる電子情報産業の中でのパワー半導体の位置付けを見てみます。

▶▶ 電子デバイスとは？

最初に電子デバイスとは何か見てゆきましょう。図表1-4-1に電子デバイスの分類を示してみました。エレクトロニクスの分野は非常に裾野が広くてすべてをカバーしていないかもしれませんが、主なものは図表1-4-1に示すとおりです。パワー半導体は1-5で述べるように、半導体の中の**単機能半導体**に含まれます。

電子デバイスの種類の例（図表1-4-1）

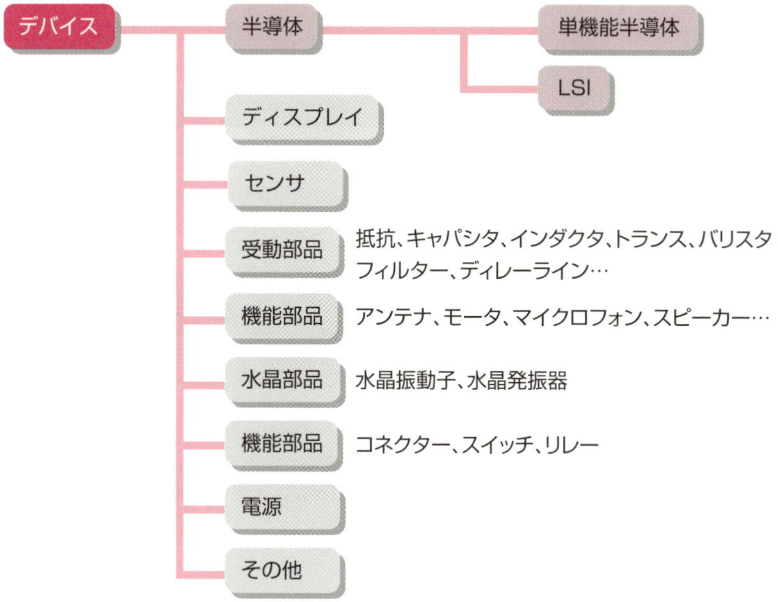

- デバイス
  - 半導体
    - 単機能半導体
    - LSI
  - ディスプレイ
  - センサ
  - 受動部品：抵抗、キャパシタ、インダクタ、トランス、バリスタ、フィルター、ディレーライン…
  - 機能部品：アンテナ、モータ、マイクロフォン、スピーカー…
  - 水晶部品：水晶振動子、水晶発振器
  - 機能部品：コネクター、スイッチ、リレー
  - 電源
  - その他

第1章 パワー半導体の全貌を俯瞰する

1-4　電子情報産業の中でのパワー半導体の位置付け

高速スイッチングが可能な半導体デバイス

　次にこれらの電子部品の中に占める半導体デバイスについて見てゆきます。その前に半導体とは何かを、簡単にふれておきます。

　図表1-4-2に電気を通す性質により、半導体を金属や絶縁体と対比させて示してみましたが、半導体の最大の特徴は、「導電体にもなりうるし、不導体にもなりうる」という性質です。また第2章で詳しく述べますが、導電体と不導体を電気的な作用で制御することができることも特徴です。言い換えると実際に電気を流したり、遮断したりすることが可能ということです。しかも半導体はそれを電気的な作用で行うので、高速でオン・オフすることが可能であり、機械的なスイッチでは不可能な「高速スイッチング動作」が可能ということがパワー半導体の分野では重要になります。パワー半導体以外の半導体デバイスでも重要になることはもちろんです。

　このように半導体デバイスは電気的な作用で、自ら働きを行う**能動素子***になります。

金属、絶縁体、半導体の特徴（図表1-4-2）

電気的な作用

電気を流す	電気を流したり、流さなかったりする	電気を流さない
（導電体）		（不導体）

高速スイッチとして働く

(a) 金属　　(b) 半導体　　(c) 絶縁体

注）導電体は単に導体ともいいます。
　　不導体は絶縁体ともいいます。

＊**能動素子**　次節を参照のこと。

1-5 半導体デバイスの中でのパワー半導体

半導体デバイスの市場は市況の影響を受けますが、世界規模で約50兆円以上の規模（換算なので為替動向で変動します）です。ここでは半導体デバイスの中でのパワー半導体の位置付けを見てみます。

▶▶ 半導体デバイスと世の中の流れ

　半導体デバイスというと筆者が若い頃は、まだICが出始めた頃でトランジスタが主というイメージが強かった時代です。Canタイプの2本足やプラスチックモールドの3本足のトランジスタが身近な半導体と思っていました。筆者の体験で恐縮ですが、だいぶ前に若い女性と話す機会があったときに、「お仕事は何されているのですか？」と聞かれたので、「半導体関係で食べています」と答えると、「じゃ、パソコンなどに詳しいのですか？」と更に追求されました。筆者の答え方が漠然としたものだったためですが、この話から切り出したのは、半導体というと、当時○○insideや○○テル入ってるといったCMが多くの方に浸透していて、半導体＝パソコンの部品というような理解が多かったためと思われます。

　何が筆者のメッセージかといいますと、要は半導体の応用範囲が広がって、その時代の技術動向、先端商品やトレンドが強く反映されているのではないかということです。筆者の世代ですと「半導体＝トランジスタラジオ」という時代でした。「半導体＝テレビゲーム」という世代もいるでしょう。現在ではタブレット端末やスマホなどかもしれません。将来はＥＶ車となるかもしれません。

▶▶ パワー半導体は縁の下の力持ち？

　ただし、パワー半導体が我々の身近にある製品の中で、何らかの世代を代表するというのはなかなか思いつきません。ひとつには前述のようにパワー半導体が目に付きにくいところで働いてきたからでした。たとえば、後で出てきますが、電車や電気機関車などの電力変換などに使用されるように身近でないところで活躍しているからです。「縁の下の力持ち」という由縁でしょうか？　最近はIH調理器のように家

1-5 半導体デバイスの中でのパワー半導体

庭でも目立つところに出てきています。

半導体といっても素子レベルで分類すると色々な分類がありますが図表1-5-1のようになります。このうち、半導体デバイスは**能動素子**(Active Element)に属します。能動素子は、供給された電力や信号などを変換する働きをします。このうち、色で網掛けしたものがいわゆる**パワー半導体**です。半導体市場の中でパワー半導体の割合は一割程度だと思われます。

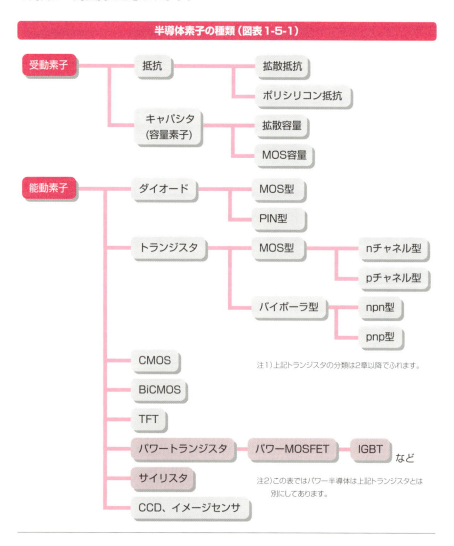

半導体素子の種類(図表1-5-1)

注1)上記トランジスタの分類は2章以降でふれます。

注2)この表ではパワー半導体は上記トランジスタとは別にしてあります。

半導体の中のパワー半導体

半導体デバイスを集積化か単機能かの分類で見たものが図表 1-5-2 です。この分類で見ると、パワー半導体は**ディスクリート半導体（単機能半導体）**デバイスに相当します。これは LSI*のように色々な半導体デバイスを組み合わせて複雑な機能や容量の大きい記憶をするものではなく、単一の機能のために使用されるという意味合いです。したがって、図中にもあるように単機能の半導体デバイスといえます。パワー半導体以外に挙がっている CCD やイメージセンサは画像信号を電気信号に変換するデバイスです。

集積化か単機能かで見た半導体デバイス（図表 1-5-2）

半導体デバイスは色々ありますが、その中でパワー半導体はどんな位置付けになるのでしょうか？　たとえば、先端 MOSLSI は情報を扱うものですが、パワー半導体はこれまで述べたように電力を扱うものです。電力というとどんなことを連想されますか？　我々の生活は電気無しでは成り立ちません。たとえば、地震や積雪などで長い間停電にあった経験がある方は電気の有り難さが良くわかると思います。いまや、空気や水と同じようなライフラインを支えるものです。

＊ LSI　Large Scaled Integrated Circuit の略。大規模集積回路と訳され、半導体素子数で 1,000 個以上を有するレベル。

1-6 トランジスタ構造の違い

ここで通常のトランジスタとパワー半導体のトランジスタはどこが基本的に異なるのかを見てゆきます。MOS型が比較しやすいので、例として取り上げます。

▶▶ 一般的なMOSトランジスタ

世の中にあふれているシリコン半導体の入門書はおおむね**MOSトランジスタ**を想定して書かれています。一般的なMOSトランジスタの模式図を図表1-6-1に示します。トランジスタの三端子（電極）であるソース、ドレイン、ゲートがウェーハの略同一面内に形成されています。電流、すなわち、キャリアの流れはこのウェーハ表面だけに限られます。LSIに用いられるMOSトランジスタはデジタル回路での信号の変換をトランジスタのオン・オフで行うものですので、低電圧動作でスイッチングが可能です。図表1-6-1に示すようにこの構造は図の水平方向（図中のチャネルを流れる）に電流が流れるタイプです。電流を大きくするには図の奥行き方向にもキャリアのパス（チャネル幅という）を広げることで可能になります。交通量の多い道路の車線を増やすようなものです。

なお、ここで色々な用語が出てきますが、ある程度は理解しているという前提です。なじみのない方は第2章でふれますので参考にしてください。

一般的なMOSFETの断面模式図（図表1-6-1）

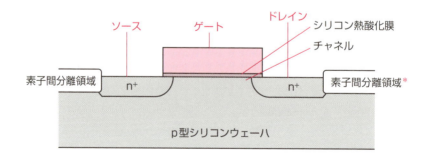

＊**素子間分離領域** 隣接するトランジスタなどの影響を受けないように電気的に絶縁物で分離している領域。
＊**MOSFET** MOSトランジスタと同義で、本書では具体的な構造を説明するときはこの用語を使う。

1-6 トランジスタ構造の違い

▶▶ パワーMOSFET

それに対して、パワー用MOSFET＊は構造が全く異なってきます。図表1-6-2にそれを示しますが、ドレイン電極はウェーハ裏面に形成されています。LSIのMOSトランジスタの場合は信号電流のオン・オフですが、パワー用MOSFETの場合は大きな電流を流すので、ウェーハ厚さ全体を使います。これが両者の大きな違いのひとつです。以上のようにウェーハの中の電流の流れ方が異なります。また、これがウェーハの厚さ方向で不純物濃度の均一性に優れるFZ結晶のシリコンウェーハをパワー半導体が必要とする理由でもあります。これについては第6章でふれます。

パワーMOSFETの模式図（図表1-6-2）

（図：ソース、ゲート、ソース、ゲート酸化膜、素子間分離領域、ゲート電極、n^+、p、n^+、p、n型シリコンウェーハ（n^-）、n^+層、金属電極、ドレイン）

▶▶ トランジスタの違い

ここまで述べたことを図表1-6-3にまとめておきます。一口に半導体デバイス、その中のトランジスタといっても基本的な構成要素は同じですが、具体的な構造は

ウェーハ内の電流の流れの模式図（図表1-6-3）

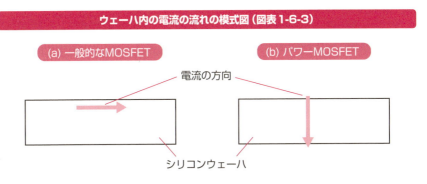

(a) 一般的なMOSFET　　(b) パワーMOSFET

電流の方向　　シリコンウェーハ

1-6 トランジスタ構造の違い

全然違うことがわかると思います。この違いはプロセスにも現れてきますので、それは第7章でふれます。

▶▶ トランジスタ構造を上から見る

やはり、世に出ているシリコン半導体の入門書ではMOSトランジスタの構造は図表1-6-1や図表1-6-2のように示されます。ここでは少し異なる視点から見てゆきたいと思います。

これまではウェーハの断面で双方のトランジスタ構造を見てみましたが、これを平面方向から見るとどうでしょうか？ それを図表1-6-4に示してみました。一般的なMOSトランジスタの場合は何度も述べますようにゲート電極を挟むようにそれぞれソース、ドレインが配置されています。それに対して、パワー用のMOSFETはゲート電極を囲むようにソースが配置され、ゲート電極に電圧が印加されて、FETがオンした際にウェーハ裏面のドレイン電極まで電流が流れる仕組みになっております。なお、図表はわかりやすさのために実際の寸法の比率を変えて描いてあります。先端ロジック用のMOSトランジスタはパワー用のMOSFETに比較して微細であることはいうまでもありません。

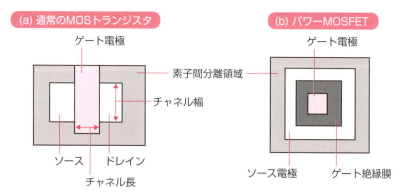

トランジスタ構造の違い（平面図）（図表1-6-4）

なお、トランジスタの電流量はチャネル幅に比例し、チャネル長と反比例します。以上の説明を頭に置いて読み続けていただくと次章以降がわかりやすいと考えましたので、あえてここでふれました。

パワー半導体の基本と動作

この章では半導体の定義についてふれ、デバイスとして動くための「仕掛け」を説明します。その後、各半導体デバイスの動作をオンとオフのスイッチング作用に絞って解説してゆきます。半導体の基本的な動作を理解していただき、パワー半導体の役割をつかむ助けにしていきたいと思います。

2-1
半導体の基本と動作

ここでは、半導体の基本とその動作をレビューします。以降、半導体材料はシリコンをベースにして進めます。

▶▶ 半導体とは？

できるだけ平易な表現で進めたいと思います。まず、半導体とは何かということですが、電気の伝導度という切り口でみると1-4で簡単にふれたように絶縁体と伝導体の中間にある存在です。

具体的には、おおよそ図表2-1-1に示す範囲です。図表2-1-1では抵抗率で表しています。小さいほど伝導率が大きいことになります。しかし、図表でもわかるように半導体は伝導体と絶縁体の間で広い範囲を有しています。言い換えると半導体は絶縁体や伝導体のような性質も示すということです。これは半導体が電気を流したり、遮断したりできる「スイッチング作用」を示せるということです。

電気が流れるということは、電流の担い手（これを担体、または英語でキャリア；career といいます）である**電子**や**正孔***が移動することになります。すなわち、半導体の中には、これらのキャリア（以降、この表現を用います）があるということです。

正孔という言葉が耳慣れない人もいるかもしれませんが、電子の抜けた穴（孔）で、電子は負電荷なので、その反対の正電荷を有します。なお、ここでは一般的な説明のため、半導体という用語を用いていますが、本書ではシリコンを指します。以降、使い分けることがあるかもしれませんが、特に断らない限りシリコン半導体のことです。

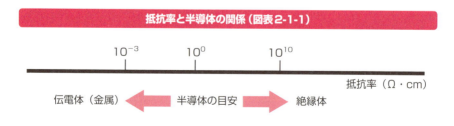

抵抗率と半導体の関係（図表2-1-1）

***正孔** 英語ではpositive holeという。電子の抜けた孔と理解されたい。もともとあった電子（負電荷）がなくなったので正電荷を有する。

2-1 半導体の基本と動作

▶▶ 固体の中のキャリアの移動

キャリアの移動で電流が流れるということは判りましたが、半導体を始めとする固体デバイスの理解を阻むものは、固体中のキャリアの流れをイメージ的につかめないことが原因ではないでしょうか？

半導体が現れる以前の電子デバイスは真空管に代表される電子管でした。真空管内のキャリア（電子のみ）は、真空中の移動ですから邪魔されることなく、真空の中を移動する物体の運動で考えれば、何となく理解できると思います。

固体中のキャリアの移動は、良いモデルがなく、イメージがつかみやすいモデルで考えていくのが良いと思います。

電子はすいている道路を走る車、正孔は電子の抜けた穴ですので、渋滞中の道路を空いたスペースに移動して前に進む車のイメージで昔からたとえられています。

図表2-1-2に、それを発展させて電子が高速道路を走る車、正孔を渋滞中の一般道路を移動する車として示してみました。これで、電子と正孔の移動度（キャリアの動きやすさ）が説明できます。

キャリアの移動の概念図（図表2-1-2）

固体物理学の用語		
伝導帯	車は電子にたとえられる。すいているので高速で道路を走れる。車は図の左側に移動する。	高速道路
禁制帯		
価電子帯	渋滞しているので前の車が空いたところに移動して前に進むことができる。空いているスペースは正孔にたとえられる。図で空いているスペースは図の右側に移動する。車（電子）とは逆になる。すなわち電子と正孔では移動の方向が反対である。	一般道（渋滞中）

すいている高速道路は固体物理学の用語でいう伝導帯に、渋滞中の一般道は電子が詰まっている価電子帯にたとえることができる。高速道路に入るには高速料金が要るように価電子帯から伝導帯（この間をバンドギャップまたは禁制帯と呼ぶ）に電子が上がるには別途エネルギーが必要である。

▶▶ キャリアを入れる

　さて、シリコン単結晶にはどれだけのキャリアが含まれているのでしょうか？少し難しい表現になりますが、熱平衡状態では、シリコンは**真性半導体**＊と呼ばれ、キャリアの数は少なく殆ど電気伝導性を示しません。そこで、ひとつめの仕掛けとして実質の半導体にするためにドーピング（不純物の添加）として、電気を運ぶ担い手となるキャリアを供給するシリコン以外の原子を入れてやる必要があります。

　このプロセスやどういう装置を使うのかに興味のある方は拙著で恐縮ですが、同じシリーズの「図解入門よくわかる最新半導体プロセスの基本と仕組み」や「図解入門よくわかる最新半導体製造装置の基本と仕組み」を参考にしてください。

　通常、電子を供給する元素は図表2-1-3に示すようにシリコン（Ⅳ族）より**電子**＊の数の多いⅤ族のP（リン）などです。正孔を供給するのはシリコンより電子の少ないⅢ族のB（硼素、ボロンともいいます）などの元素です。

　前者をn型の不純物、後者をp型の不純物といいます。また、n型の不純物を入れたものをn型半導体、p型の不純物を入れたものをp型半導体といいます。

　不純物（英語でimpurity）は、ドーパント（dopant）ともいいます。言葉の響きの印象が悪いですが、昔からの言葉ですので仕方ありません。

n型不純物とp型不純物（図表2-1-3）

Ⅰ	Ⅱ	Ⅲ	Ⅳ	Ⅴ	Ⅵ	Ⅶ	Ⅷ
H							He
Li	Be	B	C	N	O	F	Ne
Na	Mg	Al	Si	P	S	Cl	Ar
K	Ca	Ga	Ge	As	Se	Br	Kr

　　　　　　　　　↑　　　　　　↑
　　　　　　p型の不純物　　n型の不純物

＊**電子**　　ここでは原子核のまわりのいちばん外側の最外殻電子のことである（荷電子ともいう）。
＊**真性半導体**　n型でもp型でもない。そのためi型という場合がある。

2-2
p-n接合の話

ふたつめの仕掛けがp-n接合です。半導体の動作原理にはp-n接合が欠かせません。なるべく簡単・簡潔にその役割を見てみます。

▶▶ 何ゆえシリコンが必要になった？

順序が少し逆になりますが、何ゆえシリコンかを先に述べます。

代表的な半導体デバイスであるトランジスタは、当初基板材料をゲルマニウム（Ge）でスタートしました。しかし、ゲルマニウムではパワー半導体の生命線である耐圧（どれだけの電圧に耐えうるか）が取れません。というのはバンドギャップの大きさが耐圧に効いてくるからです。

そこで、シリコンを基板材料にするための単結晶シリコンの開発が急がれました。シリコン単結晶については第6章で詳しく説明します。このシリコン単結晶の作製法が確立されて、初めてパワー半導体の時代がきた＊といっても良いかもしれません。シリコンとゲルマニウムの比較を図表2-2-1に示しておきます。

参考までですが、接合型のトランジスタがシリコンだと作りやすくなりました。それまでは、点接触型＊のものが主流でした。これもシリコンがゲルマニウムより耐熱性が良いためです。接合とは前記の負のキャリアの多い部分（n型）と正のキャリアの多い部分（p型）を、単結晶性を損なうことなく連続的に結合させたものです。

シリコンとゲルマニウムの比較（図表2-2-1）

	Si	Ge
バンドギャップ（eV）	1.10	0.70
電子移動度（cm^2/V・sec）	1,350	3,800
正孔移動度（cm^2/V・sec）	400	1,800

注）表中の電子移動度、正孔移動度は半導体中の移動の大きさを示し、大きいほど移動しやすい。電子や正孔の区別をしないときはキャリア移動度ともいう。

＊**点接触型**　ゲルマニウムの結晶にエミッタとなる金属箔とコレクタとなるそれを接触された構造のトランジスタ。
＊**時代がきた**　もちろん、現在のLSIをはじめとする半導体産業の発展に寄与している。

2-2 p-n接合の話

▶▶ p-n接合とは？

前節で述べた電子と正孔というふたつの極性を持ったキャリアを使ってトランジスタを作るには**p-n接合**が必要です。p-n接合というのは、図表2-2-2に示すように電子が多数キャリア*（majority carrier）となる半導体のn型領域と正孔が多数キャリアになるp型領域を前述のように半導体単結晶の結晶性を損ねることなくつなぎ合わせたものです。

よく誤解を招くことがあるので補足すると、n型領域では電子だけ、p型領域では正孔だけが存在するわけではありません。n型領域にも正孔が、p型領域にも電子が少数キャリア（minority carrier）として存在します。

また、図表2-2-2のようにn型領域とp型領域の半導体を両側からドッキングさせるわけではありません。実際には図表2-2-2の右側に示したように一方の型の領域に他の型の半導体領域が形成されているという形をとります。この方法は、製造プロセスの話になるので、詳しくはふれませんが、熱拡散やイオン・インプランテーション法という方法で形成されます。

熱処理を伴うのでゲルマニウムより耐熱性の良いシリコンが有利なわけです。

このp-n接合の面を**接合面**と呼びます。接合面は図表2-2-2の(b)では奥行きがあるので、イメージを膨らませてもらいたいのですが、三次元的な形状を持ちます。

p-n接合の概念図（図表2-2-2）

p型領域とn領域をドッキングさせるものではない。結晶の連続性が必要。

ひとつの結晶内にp型領域とn領域を形成し、結晶の連続性を確保する。

(a) p-n接合の作り方

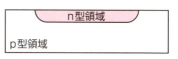

この例はp型領域の中にn型領域を作製した例である。
左側の図は模式的なもので実際のp-n接合は上のように積層構造になる。

(b) 実際のp-n接合

***多数キャリア** 該当する半導体に多く存在するキャリアの少ない方を少数キャリアという。

▶▶ 順方向と逆方向バイアス

　この接合がキャリアの流れ、すなわち、電流の流れを制御するわけです。接合に電圧を印加する際、順方向だと電気が流れやすくなり、逆方向だと電気が流れにくくなると理解してください。

　順方向（順バイアスともいいます）とは、図に示すようにそれぞれのキャリアの極性（電子は負、正孔は正）と同じ方向に電圧を印加することです。

　逆方向（逆バイアスともいいます）は、もちろんその逆です。それをポンチ絵で図表2-2-3に描いておさめます。電流なので、正から負に流れることは、いうまでもありません。キャリアが電子の場合はキャリアの移動の向きとは別になるので、要注意です。

順方向と逆方向の比較（図表2-2-3）

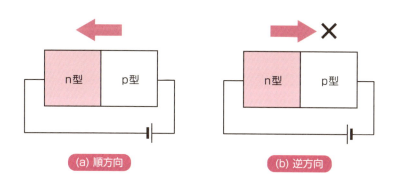

(a) 順方向　　(b) 逆方向

　なぜ、こうなるのかは難しい話になりますので、ここではふれずに3-1で少し詳しくふれます。

　また、このp-n接合の順方向バイアスと逆方向バイアスの働きをうまく使ったものが、2-4でふれるバイポーラトランジスタといえます。

　以上、元来は真性半導体であるシリコンの「キャリアの流れやすさ」をコントロールするふたつの仕掛けについて述べました。

2-3 トランジスタの基本と動作

ここではトランジスタの基本とその動作をレビューします。主としてスイッチング動作に絞っての説明になります。

▶▶ スイッチングとは？

さて、たびたび出てくる**スイッチング**とは、どういう動作でしょうか？

それは、電流を流したり、流さなかったりということ、言い換えればキャリアの移動と遮断を交互に高速に繰り返すことです。つまり、オンとオフを交互に高速に繰り返すことです。

更に言い換えれば、半導体を電流が流れる状態（オン）にするか、電流を遮断する状態（オフ）を作ることです。

そのイメージは図表2-3-1に示したように時間軸に対し、電流が流れる状態と遮断させた状態が交互に起こることです。

既に2-2で記したようにひとつめの仕掛けであるドーピングによって半導体には必要な濃度のキャリアが存在し、加えてふたつめの仕掛けであるp-n接合を有するので、後はそれを移動する手段を加えることでスイッチングを行います。それを電流で行うか電圧で行うかで、ふたつの方法がありますが、詳しくは、2-4以降で述べてゆきます。

一方で電流を流すには、その推進力が必要です。それは、電圧を印加することです。導電体も電圧を印加しなければ、電流は流れません。

よって、両端に電圧Vを印加し、その中間で更に電流や電圧で制御する端子と合計三端子のデバイス構造が想起されると思います。両端の端子（電極）の一方が、キャリアの供給源となり、もう一方がキャリアを回収することになります。

もう一度、図表1-4-2の概念図を思い出してください。いま述べた三端子デバイスの概念は、図表2-3-2のように描けると思います。

なお、図表2-3-1に示したようなパルス状の波形は、他の電子回路を経由して図表2-3-3に示すように交流電流に変換されます。

本書では、その仕組みについてはふれません。興味のある人は、別の書籍などを参考にしてください。

スイッチングの概念（図表2-3-1）

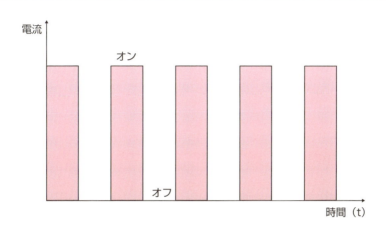

スイッチング作用のデバイスの模式図（図表2-3-2）

注）電気的な制御をするために、図のようにキャリアの通路にもうひとつの端子が必要なので三端子デバイスになる。

▶▶ トランジスタとは？

この三端子デバイスがトランジスタです。**トランジスタ**は、Transfer of Energy through Resistorを略した造語です＊。

固体デバイスであるトランジスタが実用化されてもう70年以上になります。もちろん、トランジスタの役割はスイッチング作用だけではありませんが、本書ではスイッチング作用に絞って述べてゆきます。

このトランジスタには、バイポーラ型トランジスタとMOS型トランジスタがあり、前者が電流制御で、後者が電圧制御でスイッチングを行います。

それぞれ、2-4および2-5で述べてゆきます。

直流から交流への変換（図表2-3-3）

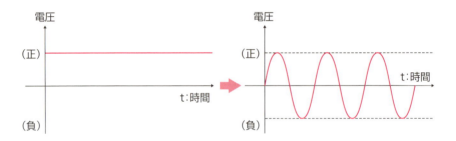

上記は直流（DC）から交流（AC）への変換、すなわちインバータの例である。

＊**造語です** これはトランジスタの作用を表すための造語である。

2-4
バイポーラ型の基本と動作

ここではバイポーラ型トランジスタの基本とその動作をレビューします。

▶▶ バイポーラ型とは？

図表1-5-1に示したトランジスタのうち、バイポーラ型を本節で、MOS型を次節でふれます。

バイポーラ（bipolar）**型**とは、bi（ふたつの意味。bicycleにも使われている）と、polar（極性の意味　電気の場合は正と負がある）で合成された用語です。

これは、電気を運ぶ担い手となるキャリアに正のキャリア（電子: electron）と負のキャリア（正孔: positive hole）があり、バイポーラ型ではその両方を使用するからです。一方で、この点がバイポーラ型トランジスタの動作の理解を阻んでいるところでもあります。数ページでの説明は困難ですが、ここでは簡単なモデルで説明してゆきたいと思います。

▶▶ バイポーラトランジスタの原理

ここから、図表2-3-2に準拠して説明してゆきます。バイポーラトランジスタの場合は、エミッタ、ベース、コレクタの3つの要素があります。これが、三端子トランジスタの電極になります。

エミッタとは、「放出するもの」という意味です。コレクタ（collector）は、「集めるもの」という意味で色々なものの収集家のことをコレクタと呼ぶように日本語化されています。ベース（base）は、「基礎になるもの」の意味で、バイポーラトランジスタの場合はベース電流を制御してトランジスタを動作させるというように理解するとイメージがつかみやすいと思います。

これを概念図で表すと図表2-4-1のようになります。すなわちエミッタがキャリアの送り手、コレクタがキャリアの回収、ベースがキャリアの移動を制御する役割を担っているといえます。

2-4 バイポーラ型の基本と動作

電流制御型スイッチの概念図（図表2-4-1）

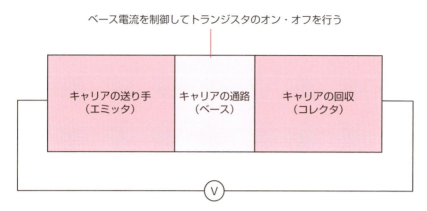

注）図は説明上、模式的に描いてあり、大小関係や位置関係などは実際のものと異なる。以降の図も同様である。

▶▶ バイポーラ型トランジスタの接続

いま、図表2-4-2に示すようなpnp型（図表1-5-1の分類参照）のバイポーラトランジスタを考えます。これは、p-n接合ダイオードがふたつ背中合わせに付いていると理解しても良いでしょう。それぞれ、左側からエミッタ、ベース、コレクタになっています。

なお、コレクタは構造上、エミッタに比較して低濃度の不純物領域（この場合はp型）になっています。

ところで接合を作っただけでは、デバイスとして作動しないので端子を設け、電気を流す回路を作る必要があります。ここで、このふたつの背中合わせのp-n接合ダイオードを「どのようにバイアスするか」が、課題になります。このバイアスの印加がp-n接合の面白いところであり、ふたつめの仕掛けの肝です。

また、エミッタ接地やベース接地、コレクタ接地など色々な接地の仕方がありますが、ここではベース接地で説明します。

前記のようにこれらのp-n接合のバイアスをどうするかが課題になります。通常、エミッタ〜ベースを順方向バイアス、コレクタ〜ベースを逆方向バイアスにします。

2-4 バイポーラ型の基本と動作

これらの用語が耳慣れない人は、2-2でふれたように順方向バイアスがキャリアの移動しやすいバイアス、逆方向はその逆でキャリアが移動しにくいバイアスの仕方、すなわち、電気的な接続の仕方と考えてください。

「どのようにしてトランジスタがオンするか」がこの節の鍵ですが、エミッタからのキャリア（この場合は多数キャリアである正孔）は、順方向にバイアスしているからベース領域に到達します。

短いベース領域を問題なく通過すれば、キャリアがエミッタからコレクタに到達したことになります。ベース領域では正孔が少数キャリアになりベース内での濃度差による拡散で正孔が移動しコレクタに到達します。これによりトランジスタがオンしたことになります。しかし、実際にはベース領域でその一部が別のタイプのキャリア（この場合は電子）と再結合＊して、コレクタに達しないようになります。そこで、図表2-4-2に示したようにベース電極から電子を補充するベース電流が流れます。これがふたつのキャリアの流れを必要とすることがバイポーラトランジスタと呼ばれる由縁です。

以上は、あくまでも説明しやすい例で書いたものです。バイポーラトランジスタの接地の仕方は色々あり、動作も少し異なってきます。スイッチング動作については3-2でふれます。

バイポーラ型トランジスタの動作原理図（図表2-4-2）

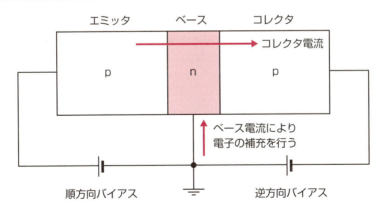

上の例ではベース電流で電子を注入することで再結合した分の電子を補充することを示している。

＊**再結合** キャリアである電子と正孔（もともと電子が抜けた孔）が結合し、キャリアでなくなること。

2-5

MOS型の基本と動作

ここではMOS型トランジスタの基本とその動作をレビューします。ここでもスイッチング動作に絞っての説明になります。

▶▶ MOS型とは？

　MOS型の仕組みを説明する前に、MOSとは何の略であるかですが、MOSはMetal Oxide Siliconの略で、上部からゲート電極である金属のMetal、ゲート酸化膜であるシリコン熱酸化膜のOxide、キャリアの通り道であるシリコンのsilicon、それぞれ頭文字を取って名付けられたものです。つまり、構造が名称の由来になっているということです。

　MOS型では、キャリアは電子か正孔か、どちらかしか使用しないので、バイポーラ型に対して**ユニポーラ**（uniはひとつの意味）**型**ともいいますが、実際には殆ど使用されておりません。また、電圧を印加してトランジスタを動作させることから電界効果型トランジスタ（Field Effect Transistor略してFET）ともいいます。FETについては、後で少しふれます。

　ここでは電圧を制御してトランジスタをオン・オフする動作を行うものと理解してください。図表2-5-1にその概念を示してみました。

電圧制御スイッチの概念（図表2-5-1）

ゲート電圧を制御してトランジスタのオン・オフを行う

| キャリアの送り手
（ソース） | キャリアの通路
（ゲート下の
チャネル） | キャリアの回収
（ドレイン） |

Ⓥ

注）2-4の図表も含め図は説明上、模式的に描いてあり、大小関係や位置関係などは実際のものと異なる。以降の図も同様である。

▶▶ MOS型の各部分の役割

　実際のMOSトランジスタの動作について述べてゆきます。MOSトランジスタを水門にたとえる例がよく知られています。読者の中で他の入門書で読んだ人もいるかと思います。もっともMOSトランジスタの各部分の命名が水門を念頭にされたのかもしれません。

　図2-5-2に示すようにMOSトランジスタの各部分、ソース（source）、ドレイン（drain）、ゲート（gate）は、それぞれ水源、流し（放水路）、水門にたとえられます。実際にソースのキャリアをゲート電圧で制御して、ドレインに運ぶことでMOSトランジスタがオンするわけです。

　これは、水門を開けて水源の水を放水路（その先には田畑があると考えて良いでしょう）に流す仕組みに似ています。

　さて、このことをパワー半導体にたとえると、非常に大きいため池から大きな用水路に流すことにたとえてみます。

　この場合、水の量が電力の量になるわけです。パワー半導体の場合、大きな水門が必要になります。一方、高速のMOSトランジスタでは、この水門は高速で開閉する必要があるので、小さな田んぼの水路を石や板で開閉するようなものです。これが全面的に正しいたとえではありませんが、第7章でパワー半導体特有のプロセスを説明する際にも役立ちますので、頭の片隅に入れておいてください。

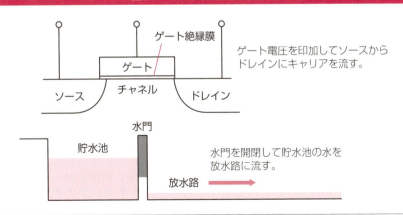

MOS型トランジスタの概念図（図表2-5-2）

2-5 MOS型の基本と動作

▶▶ MOSダイオードの作用とオン・オフ動作

　2-4で述べたバイポーラ型トランジスタの場合は、ベース電流によるキャリアの注入でオン・オフを行いますが、MOS型の場合は真ん中のゲート構造が曲者です。

　先に述べたようにMOS構造とは、ゲート電極である金属、ゲート酸化膜であるシリコン熱酸化膜、キャリアの通り道であるシリコンで構成されていますが、これらはいってみれば、金属／絶縁膜／半導体で構成されたMOSダイオードになっているといえます。

　金属に印加した電圧で絶縁膜（キャパシタ膜）を経由して半導体の容量を変化させています。この容量を変化させてゲートの下の**チャネル**（海峡を意味するchannelと同語）に**反転層**と呼ばれるキャリアの通り道を形成します。上のたとえでいうと水門を開けた状態です。電圧をオフすることで反転層を消すことができます。このようにゲートである電極の電圧（ゲート電圧）をオン・オフすることでトランジスタのオン・オフを行います。

　図表2-5-3には上記の動作原理を簡単に示した図を挙げておきました。

MOS型トランジスタの動作の原理（図表2-5-3）

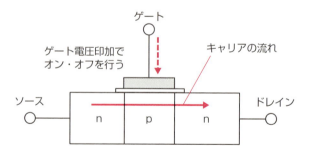

　この例はnチャネルMOSトランジスタ（略してn-MOS）といいます。nチャネルというのは、n型領域のソースとドレインがp型領域（チャネル）を挟んで構成されています。その逆がpチャネルMOSトランジスタ（略してp-MOS）です。2-9では、このふたつのトランジスタをうまく組み合わせた例が出てきます。

2-6
パワー半導体の歴史を振り返る

さて、パワー半導体がどんなものかが何となく理解できたところで、今度はパワー半導体の歴史についてふれてみます。間奏曲として読んでいただければと思います。

▶▶ パワー半導体の起源とは？

　ウィリアム・ショックレーらによるトランジスタの発明は1947年です。ただし、詳しくふれる余裕はないですが、当時はゲルマニウム単結晶を使用した点接触型※のトランジスタでした。6-1でもふれますが、その後、シリコンが半導体デバイス材料として使用され、半導体産業の発展を促してきました。エレクトロニクスデバイスの代表でもある半導体を電力制御に用いるという意味で「パワーエレクトロニクス」という言葉が使われ始めたのは1973年頃からといわれています。エレクトロニクスというのは電子を扱うデバイスです。筆者が学生の頃は弱電などと呼んでいました。対して、電力を扱う分野は強電と呼んでいました。

　いつから「パワー半導体」と呼ばれるようになったのかは不明です。ただ、これ以前は「半導体」とか「トランジスタ」という用語で半導体デバイス全体をひっくるめて指していたようです。筆者がこの世界に入って読んだ本なども、そのような表記で書かれています。ただし、パワーMOSFETという言葉は1960年代から使われていた記憶があります。筆者の推測ですが、1971年にインテルが1k bit DRAMを市場に出して、LSIという言葉が使用され始め、半導体デバイスもそれぞれ実態にあった用語で呼ばれるようになったと思われます。

　因みにLSIとは大規模集積回路を意味するLarge-Scaled Integrationの略で、この前にはICという言葉が使用されていました。ICとはIntegrated Circuitの略で集積回路と訳されました。いまは集積回路という言葉自体があまり使用されなくなった印象ですが、80年代前半頃までは頻繁に使用されていたと思います。集積回路とはトランジスタやダイオードなどの能動素子や抵抗、容量素子などの受動素子をシリコンウェーハ上に集積したものです。

　パワー半導体はその後、2-7で述べるIGBTなどが開発され、その改良が進んでいるのが現状です。歴史的な動向を図表2-6-1にまとめてみました。ここに出てく

※点接触型　ゲルマニウムの結晶にエミッタとなる金属箔とコレクタとなるそれを接触された構造のトランジスタ。

2-6 パワー半導体の歴史を振り返る

る用語については、ここではふれずに追って次章で説明します。時々、この図を振り返ってもらえればと思います。

半導体デバイスの歴史（図表2-6-1）

▶▶ パワー半導体の役割

前章でもふれましたように、パワー半導体の役割は電力の変換です。エネルギー社会といわれる21世紀には特に重要になってきました。ところで電気には直流（DC：Direct Current）と交流＊（AC：Alternating Current）があることは既にふれました。一般に送電には交流が用いられます。その方が送電の効率が良いからです。直流での送電では、抵抗成分での損失（loss）が大きくなってしまいます。このため、交流から直流に変換する、あるいはその逆の仕組みが必要です。

＊**交流** いまの交流発電機はニコル・テスラによって19世紀に発明された。

水銀整流器からシリコン整流器へ

　交流を直流に変換することを**整流作用**といいます。パワー半導体登場以前にこの整流作用を担っていたのが水銀整流器です。ただ、水銀整流器は真空中の水銀の放電現象により電力を変換させるもので、多くの制約と動作の信頼性に課題がありました。それを解決したのがサイリスタです。1956年にGE＊で発明され、当時はSCR（Silicon Controlled Rectifier）の名前で発売されていましたが、1963年にサイリスタという名前になりました。サイリスタの動作や原理などは3-3でふれます。

　その後、シリコン単結晶の高純度化が進み、高電圧、大電流化、特性改善に伴いパワー半導体は半導体産業の中で独自の地位を占めるようになりました。用途の広範化に伴い、高電圧化にはシリコン単結晶の高品質化が、大電流化には口径の大きいシリコンウェーハが必要になりました。それらについては第6章でふれます。これ以降はいわゆるパワー半導体の時代となり、パワー半導体もより性能の向上を求めて進歩してゆきますが、詳しくは第3章や第9章でふれます。

　なお、水銀整流器は1960年代後半には市場から撤退しましたが、それまでは電車などにも使用されていました。

シリコンから次の材料へ

　一方で基板材料の方はどうでしょうか？　パワー半導体の基板材料は、現状は上記のようにシリコンが主流です。しかしながら、最近は「脱シリコン」といいますか、「beyond Silicon」とでもいいましょうか、第10章でふれるSiCやGaNの時代が到来しつつあります。なお、この「脱シリコン」とか「beyond Silicon」という呼び方は定着しているものではありませんが、先端MOS LSIでも「脱ムーアの法則」とか色々な「パラダイムシフト」が起こっているのが現状です。このことはパワー半導体がその半導体材料に大きく依存することを意味しており、図表1-1-2に示した半導体のいちばん上流から手がける必要があることを意味しております。パワー半導体も今後の行方を正確に見抜くことが重要と思います。そのあたりは第10章で見てゆきたいと思います。

＊GE　ゼネラル・エレクトリックという1876年創業の米国の総合電機メーカ。エジソンの電灯会社も前身のひとつである。

2-7

パワーMOSFETの登場

MOSFETとはパワー半導体に残っている呼び名ですが、FETとはField Effect Transistorの略で電界効果トランジスタと訳されています。

▶▶ より高速スイッチングが必要に

1950年代に登場した（図表2-6-1参照）バイポーラトランジスタを使用するパワー半導体は一時全盛期を迎えましたが、課題もありました。それは、より高速スイッチング機能が必要になったからです。高速化にはバイポーラトランジスタでは限界がありました。なぜかというと、2-4で少しふれたようにバイポーラトランジスタはふたつのキャリアを使用し、電流制御で駆動させるためにスイッチング速度が一般的に遅くなるからです。詳しくは第3章でふれます。

このために登場したのが、当初**電界効果型トランジスタ**（FET：Field Effect Transistor）といわれた**パワーMOSFET**です。

▶▶ MOSFETとは？

もともと電界効果型のトランジスタの歴史も古く、1930年にはライプチヒ大学（ドイツ）のJulius Lilienfeldによって発見されて、特許も申請されています。その後トランジスタの発明で知られるウィリアム・ショックレーが1949年にゲルマニウムを使用したFETを試作しました。実際に現状のパワーMOSFETの概念が確立されたのは1964年にZuleegとTesgnerが独自に発表したものです。このようにFETという言葉は昔からありました。

しかし、パワー半導体の分野にだけ（といっても良いかと思います）、パワーMOSFETという呼び名が残ったのはなぜか筆者にはわかりません。MOS型ではなく、接合型のJFET（Jは接合を意味する英語のjunction）という方式も当時あり、電界効果型のトランジスタでも接合型とMOS型があるので、それらとの区別のため名前が残ったのかもしれません。なお、JFETは現在では殆ど使用されていないので、本書ではふれません。

2-7 パワーMOSFETの登場

▶▶ バイポーラトランジスタとMOSFETの比較

　MOSFETをバイポーラトランジスタと比較して簡単に説明すると以降のようになります。図表2-7-1を見てください。この図はかなり大胆に描いたもので、正確性には欠けるかもしれませんが、両者の比較を簡単に行ったものです。2-4で述べたようにバイポーラトランジスタの場合はそれぞれ、エミッタ、ベース、コレクタと3つの端子がありますが、p-n接合にバイアスを印加して、ふたつのp-n接合でのキャリアの流れを制御して、電流を流すデバイスです。コレクタ電流のオン・オフはベースに流す電流で行います。バイポーラトランジスタが、電流制御で駆動するデバイスであると記したのはそのためです。

バイポーラトランジスタとMOSFETの比較（図表2-7-1）

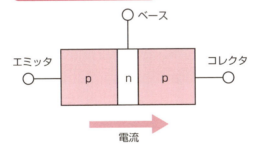

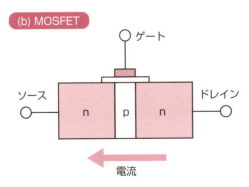

2-7 パワーMOSFETの登場

　一方、MOSFETの場合は2-5で述べたように、それぞれ、ソース、ゲート、ドレインと3つの端子がありますが、ゲートに電圧を印加して、ふたつのn型領域の間のp型領域を「**反転**」(p型を一時的にn型にすることです)させることでキャリアの流れる道（これを**チャネル**といいます）を作り、電流を流すデバイスです。電流のオン・オフはゲートに印加する電圧で行います。

　再度述べますが、バイポーラトランジスタは「電流制御型」のデバイス、MOSFETは「電圧制御型」のデバイスということになります。そのわけは、バイポーラトランジスタはベース電極からベース電流を流してオン・オフさせますが、パワーMOSFETはゲート電圧（これを難しい用語で「しきい値電圧」といいます）を印加してオン・オフし、ゲートには電流を流すわけではありません。その分、駆動電力は比較的少なくて済むというメリットもあります。

　なお、図表2-7-1でバイポーラトランジスタとパワーMOSFETではn型領域とp型領域の配置が異なっていますが、これは前者がpnp型のバイポーラトランジスタであり、後者はnチャネルのパワーMOSFETであるからです。それについては次章以降でまたふれてゆきます。

片面と両面

　ウェーハの厚さ方向の全体に電流を流すなど、パワー半導体とMOS LSIの違いを説明しました。ウェーハの厚さは300mm（インチ径で12インチウェーハと呼ぶ場合もあります）でも775μmと1mmにも満たない厚さです。若い人には申し訳ないですが、アナログのLPレコードを思い出させます。そこで、ちょっと思い出話で失礼します。

　筆者が会社生活をしていた頃、半導体はお金を使うということで本社の研究開発報告会のようなもので（どの会社にも似たようなものはあると思います）、何度か「成果」を発表する機会を持ちました。なにしろ、使うお金が他部署に比べて最近はやりの言葉で「半端ない」ですので。いつの機会だったか、もう忘れましたが、話の流れで、半導体ウェーハは表面にしかデバイスを形成しないという話になってしまい、いちばんトップのCEOから「何で両面を使わないのか？」といわれたのを覚えています。

　彼は音楽家としても有名で会社の仕事の合間にはオーケストラの指揮をするくらい音楽には造詣の深い人でしたので、レコードのように両面を使用しないのかと思ったかもしれません。

　筆者は発表するだけで受け答えできるような立場ではないですから、その後どうなったかは覚えていません。

　しかし、筆者が答えることが許されたなら、「会長、CDも片面ですよ。」と申し上げたかったと思います。

2-8

バイポーラとMOSの融合体 IGBTの登場

　ここでは、パワー半導体で最近よく用いられるIGBTの登場を簡単に振り返り、その特徴についてふれます。

▶▶ IGBTの登場まで

　バイポーラのトランジスタ、更にパワーMOSFETとパワー半導体のラインナップが揃ってきました。ところが、MOSFETにも高速スイッチングが可能でもMOSFETの構造上、耐圧が低いという課題がありました。しかし、パワー半導体の応用範囲はとどまることを知らず、更に比較的大電圧領域で高速スイッチングが可能なものが求められてきました。これはある意味、二律背反する命題です。バイポーラトランジスタやパワーMOSFETの改良では果たせない課題でした。そこで登場してきたのが**IGBT**です。

▶▶ IGBTの特徴

　IGBTとはInsulated Gate Bipolar Transistorの略で、絶縁ゲート型バイポーラトランジスタと呼ばれています。絶縁ゲートがあるバイポーラトランジスタか？これまでのバイポーラトランジスタやMOSFETの説明からすると違和感を覚えるのではないでしょうか？

　IGBTを一言でいうと「pnpバイポーラトランジスタにnチャネルのエンハンスメント型MOSトランジスタを付けたもの」です。nチャネルのエンハンスメント型といわれても何のことかわからない方もいるかもしれませんが、それは3-4で説明します。図表2-8-1にIGBTの構造の模式図を示します。この図は、MOSFETとバイポーラトランジスタの「いいとこ取り」ということを理解してもらうためにかなり大胆に描いた図ですので、正確さには欠けますが、そのような視点で見てください。詳しい構造は3-5で説明します。簡単にいうと図の上のMOSFET構造でオン・オフを行い、電流は縦に流して、電流をたくさん流せる構造になっています。ここでいう縦に流すとは、シリコンウェーハの厚み方向に電流を流すという意味です。

2-8 バイポーラとMOSの融合体IGBTの登場

　これをウェーハの面から見るとスイッチングはウェーハの横方向で行い、電流を流すのはウェーハの縦方向ということになります。

　繰り返しますが、IGBTはバイポーラトランジスタとMOSFETのいいとこ取りを狙ったものという理解で良いでしょう。高速スイッチング性能はMOSFET部で稼ぎ、電流、耐圧はバイポーラ部で稼ぐという理解で良いと思います。LSIでもバイポーラとMOSのいいとこ取りをしたBiCMOSというデバイスがあるのですが、パワー半導体部門でのBiCMOS版という理解はいかがでしょうか？

　図表2-5-1に示したように、IGBTは1980年代に登場しましたが、高速で駆動力の大きいことが特徴でその後需要が伸びています。交流をダイオードや平滑コンデンサで直流に変えた後に、更に交流にする際に、高速でスイッチングするインバータにその高速性を活かして使用されます。第4章でもふれますが、トヨタのHV車（ハイブリッド・カー）や東海道・山陽新幹線のN700系はIGBTを使用しています。

　本書では3-5でIGBTの原理や動作などにふれ、更に第9章でIGBTの発展型について述べます。

IGBTの模式図（図表2-8-1）

2-9

信号の変換との比較

　ここでパワー半導体とは直接関係ないですが、MOS型トランジスタを用いたロジックLSIでの信号の変換についてレビューします。より半導体の奥深さを理解していただくためです。

▶▶ 信号の変換とは？

　パワー半導体は「電力の変換」を行うデバイスであると説明しました。それでは、MOS-LSIの代表であるロジックLSIはどんなデバイスなのでしょうか？

　ここでは、ロジックLSIを構成する基本ゲートのうち、インバータを紹介しましょう。基本ゲートとは、信号の変換を行うものです。インバータという用語はパワー半導体にもありましたね。交流を直流に、あるいは直流を交流に変換するものです。そうです。同じ用語でも分野が異なると違う意味で使用されることが半導体でもあります。

　ここでは、筆者なりの言葉で「信号の変換」として紹介しておきます。

　電子回路を用いた論理回路では、二進法を用います。十進法では数は0,1,2,3・・・9ですが、二進法では、それが0と1しか用いることができないので、0,1,10,11・・・・・に相当します。

　電子回路では、相対的に電圧の高い状態（high）と低い状態（low）しか作れないので、必然的に二進法で表すしかないと理解すれば良いと思います。

　ここで、電圧の高い状態を1、低い状態を0として表すのが半導体デジタル技術の約束事です。これで、論理回路を組んだ場合、1から0への変換、逆に0から1への変換が必要な場合があります。この作用をデジタル技術の分野では、「インバータ」と呼びます。

　そこで、図表2-9-1を見てください。これはインバータの基本（a）とその記号（b）を表したものです。真理値表については、参考までに図中に入れました。

　次のMOSトランジスタを使ってどのようにこの「インバータ」を構成するかを見てゆきます。

2-9 信号の変換との比較

CMOSインバータの基本と記号（図表2-9-1）

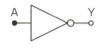
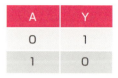

(a) 基本ゲート構成　　(a) シンボル図　　(a) 真理値表

注）シンボル図や真理値表は参考までに挙げた。
　　inの情報が反転されてoutされるのがロジック回路のインバータである。

▶▶ CMOSインバータの動作

ここで、典型的なインバータである**CMOSインバータ**の動作を説明します。

まずは、CMOSとは何かということですが、Complementary MOSの略であり相補型MOSと訳されることがあります。図表2-9-2の左側を見ていただくとわかるようにCMOSとはn-MOSトランジスタとp-MOSトランジスタ（図表2-5-3の下の文を参照）を、それぞれのゲートとドレインを共通にして組み合わせた構造になっており、ゲートが入力、ドレインが出力になっています。

また、p-MOSのソースは電源ライン（V_{dd}）に、n-MOSのソースはアースに接続されています。この場合、電源がラインがHigh すなわち「1」に、アースがLow すなわち「0」に相当します。このn-MOSトランジスタ（以降、n-MOS）とp-MOSトランジスタ（以降、p-MOS）を、それぞれのゲートとドレインを共通にして組み合わせた構造になっていることがミソであり、入力端子（図中のin：以降同）に1（高い方の電圧）を印加するとn-MOSだけがオンし、p-MOSはオフのままです。なぜ、そうなるかは紙数の都合で省略します。

したがって、出力端子（図中のout：以降同）には図中にアースで表した電圧（低い電圧；0）が出力されます。逆に入力端子に0（低い方の電圧）を印加すると上記とは逆にp-MOSだけがオンし、n-MOSはオフのままです。したがって、出力端子には図中にV_{dd}で表した電圧（高い電圧；1）が出力されます。

すなわち、図中の表に記したような入力とは逆の信号が出力されるという変換が

2-9 信号の変換との比較

行われることになり、これがCMOSインバータの動作になります。

　紙面の関係で簡単にしか記せませんでしたが、興味のある方はその方面の入門書を参考にしてください。

　以上、ごく簡単にCMOSインバータを用いた「信号の変換」についてふれてみました。

　本書ではパワー半導体とLSIとの違いにも視点を当ててより深くパワー半導体を理解していただこうと思っているので、参考になれば幸いです。

　両者のプロセスの違いなどは、第7章で述べます。

CMOSインバータの構成（図表2-9-2）

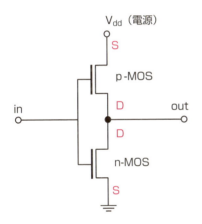

p-MOSとn-MOSが一組で、基本ゲートを形成し、双方が補い合って動作する。

入力	p-MOS	n-MOS
0 (Low)	on	off
1 (High)	off	on

　なお、本書ではキャリアが個々のケースで電子であるか、正孔であるかについては、話が複雑になりかえってわかりにくいと思い、あえて記していませんが、参考までに前述のn-MOSは電子、p-MOSは正孔が、それぞれのキャリアになります。

各種パワー半導体
動作と役割

この章では各パワー半導体について、その原理や動作を説明するとともに、その役割についてもふれてゆきます。バイポーラトランジスタやサイリスタの原理や動作は理解するのは難しいものなので、わかりやすい例を使って説明してみましょう。

図解入門
How-nual

3-1
一方通行のダイオード

まずはダイオードです。一般的にダイオードというと発光ダイオードが有名ですが、発光素子だけがダイオードではありません。パワー半導体では整流作用を行うための素子のことをダイオードといいます。

▶▶ ダイオードと整流作用

　もともと**ダイオード**（diode）という用語は、ふたつ（接頭語のdi）の電極（ode）を持った素子という意味で使用されたもので、二端子（電極）デバイスです。この素子の最大の働きは**整流作用**です。これは1-4で挙げたパワー半導体の電力変換の中の働きのひとつでコンバータと呼ばれています。繰り返しになりますが、整流作用とは非常に簡潔にいえば、一方向に電流を流す働きのことです。

　電流には直流（DC：Direct Current）と交流（AC：Alternating Current）があります。1-2でふれたようにパワー半導体関係では交流から直流、直流から交流への変換が大事になります。身近な家電製品でも一般家庭用の交流100Vを直流に変換して使用するものも多いですね。そのとき、図表3-1-1に示すように交流をまず整流作用で一方向のリップル電流（脈流ともいいます）に変換する必要があります。この作用を行うのがダイオードです。

交流の整流化（図表3-1-1）

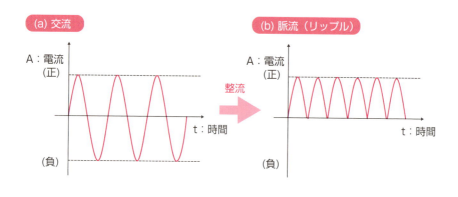

▶▶ 実際のダイオードの整流作用

　実際にはこの後、平滑コンデンサでリップル電流を均(なら)して直流にするわけですが、それはパワー半導体の働きとは異なりますので省略します。

　実際のダイオードの整流作用を図表3-1-2で説明します。これは単相交流を整流する例で、ダイオードを4個使って行うものです。ダイオードの回路記号は図表3-1-2に示したとおりです。4個のダイオードの配列は図表3-1-2左側のようになっており、それは図表3-1-2右側に示すように4個の機械的スイッチに置き換えることができます。正の電流のときは図表3-1-3（a）のような電流のパスとなり、逆に負の電流の場合は図表3-1-3（b）のようになります。

ダイオードでの二相交流の整流化（図表3-1-2）

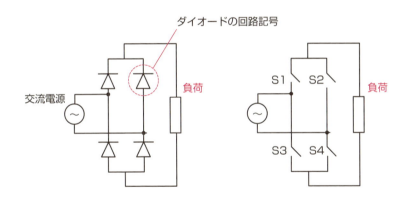

　ダイオードはその記号である△の方向にしか電流を流しません。したがって、交流で正の電流では図表3-1-3（a）のように流れます。逆に交流で負の電流では図表3-1-3（b）のように流れます。4個のダイオードのうち、正と負の電流でそれぞれ、「たすき掛け」のように別の組み合わせのダイオードを流れることになります。一方、負荷に流れる電流の向きは一定であることに注目してください。ここが、重要なところで回路内の負荷に流れる電流の向きが一定であることで交流の整流化が可能になります。

　これは図表3-1-2の右側に示した機械的スイッチでは、正の電流の場合はS1と

3-1 一方通行のダイオード

S4がオンしてS2とS3がオフしていることになります。負の電流の場合はその逆ですので確かめてみてください。これがいわゆる整流作用による交流から直流への変換（コンバータ）です。これを機械的スイッチで行うとしたら、その駆動部やそれを制御するシステムを作るだけでも大変です。半導体デバイスであるダイオードを用いることで電流の向きに対して自律的に作用するので、高速スイッチングができるわけです。

また、ダイオードを「逆止弁」にたとえることもあり、それで考えてみると理解が進むと思います。

ダイオードによる交流から直流への変換（図表3-1-3）

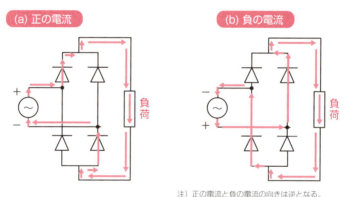

注）正の電流と負の電流の向きは逆となる。

▶▶ 整流作用の原理

整流作用にはp-n接合の役割が重要になります。ここではそれを説明します。もう一度、図表2-2-3に電圧印加時のp-n接合の様子を加えたものを図表3-1-4として掲載します。

本書ではシリコンの固体物性を説明するときに用いるエネルギーバンド図*をできるだけ用いないで説明することを心がけているので、図に示すような模式的な形にしてみました。電圧の印加の方向でp-n接合間に形成されているスロープの傾斜が変化すると考えるとわかりやすいかと思います。順方向の場合は電圧0（点線）の傾斜に比較して、緩くなるのでキャリアの移動が起こりやすく、電流が流れますが、

＊**エネルギーバンド図** 固体結晶中の電子エネルギー分布を主として価電子帯、伝導帯、その間の禁制帯に分類して示したもの。図表2-1-2に模式的に示してある。

3-1 一方通行のダイオード

逆方向の場合はその逆にスロープの傾向が大きくなるのでキャリアの移動が起こりにくく、電流が流れなくなるわけです。以上、イメージがつかみやすい例を挙げて説明してみました。

　順方向の場合は電流の向きはp型からn型です。キャリアである電子の移動は逆にn型からp型への移動になります。キャリアは負電荷を有する電子なので、このようにキャリアの移動の方向と電流の向きが逆になります。ややこしいですが、そのように理解してください。

ダイオードの電流の流れ（図表3-1-4）

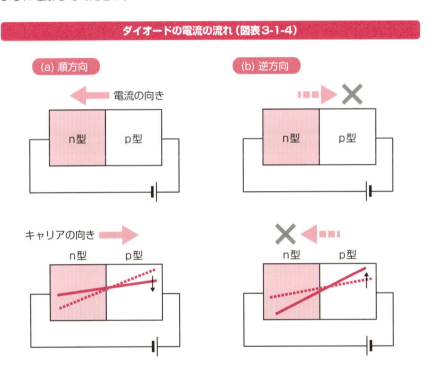

3-2
大電流のバイポーラトランジスタ

バイポーラトランジスタはダイオードより端子数（電極）がひとつ多い三端子デバイスです。主な役割は大電流のスイッチングです。

▶▶ バイポーラトランジスタとは？

　ここでバイポーラトランジスタの原理と基本特性を、より詳しくふれておきたいと思います。2-4と2-5でもふれましたが、MOSトランジスタは「電圧駆動のデバイス」なのに対して、バイポーラトランジスタは「電流駆動のデバイス」であり、npn型またはpnp型があり、どちらにもふたつの接合面を有するところが特徴です。図表3-2-1にpnp型バイポーラトランジスタの模式的な図と回路記号を再度示します。

バイポーラトランジスタの模式図と回路記号図（図表3-2-1）

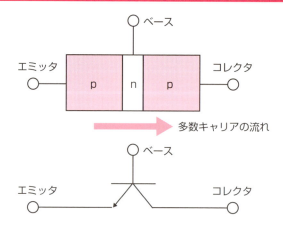

　何ゆえ、バイポーラトランジスタというかですが、第2章でもふれたように、その動作に電子と正孔というふたつの異なる極性のキャリアが関係しているからです。それに対して、MOSトランジスタのように多数キャリアのみが動作に関係しているトランジスタを「ユニポーラトランジスタ」という場合がありますが、あくまでバイポーラトランジスタに対しての用語であり、ふだん使用されることはないように思います。バイポーラトランジスタは多数キャリア（majority career）と少数キャリ

ア(minority career)の働きを理解する上でも良いサンプルです。

また、バイポーラトランジスタを多重接合デバイスという場合もあります。前述のようにバイポーラトランジスタが、npn型またはpnp型であっても、どちらもふたつの接合面を有するところから来ています。これについては5-3でもふれます。

▶▶ 高速スイッチングが必要な理由

3-1では交流を直流に変換することを学びましたが、同じパワー半導体の動作に要求されるものとして、今度は直流を交流に変換することがあります。これが、いわゆるインバータです。どんなところに使用されるかは第4章で述べるとして、この変換のためには高速スイッチングが必要になります。その理由は直流を交流に変換するわけですから、直流を「細切れ」にして疑似的な交流にするという図表3-2-2に示すような電気的な変換が必要です。実際は「細切れ化」の後にLC回路*を入れて波形を整えて交流にしますが、それはパワー半導体の動作とは別ですので、ここでは省略します。

高速スイッチングにはトランジスタが必要です。前節のダイオードはあくまで電気の向きが外部で変換されている(交流)ことでスイッチの働きをしましたが、今度は直流を変換するわけですから、そうはいきません。この節以降、説明するパワー半導体はこのスイッチング動作を行うものの例です。最終的にIGBTにつながってゆきますので、じっくり読んでください。

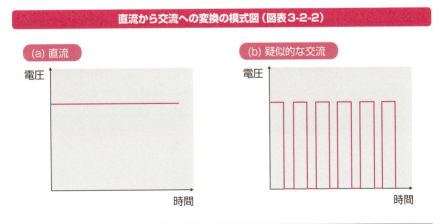

直流から交流への変換の模式図(図表3-2-2)

(a) 直流

(b) 疑似的な交流

---

* **LC回路**　Lはコイル、Cはコンデンサを表し共振回路を形成する。これらを使いパルス状になった電流を正弦波(交流)に成型する。(b)に示した図では便宜上、一定巾のパルスで描いているが、実際には色々なパルス巾のものを正弦波に模して作り、それらをならして正弦波にする。

バイポーラトランジスタの原理

　ここでは、2-4より少し掘り下げてバイポーラトランジスタの原理にふれます。バイポーラトランジスタの場合は、エミッタ、ベース、コレクタの3つの電極がある、三端子デバイスになるわけです。繰り返しますが、エミッタ (emitter) とは放出するものという意味です。コレクタ (collector) は集めるものという意味で、色々なものの収集家のことをコレクタと呼ぶように日本語化されています。ベース (base) は基礎になるものの意味でバイポーラトランジスタの場合はベース電流を制御して、トランジスタを動作させるというように覚えておくと良いと思います。

　いま図表3-2-3に示すようなpnp型のバイポーラトランジスタを考えます。これはp-n接合ダイオードがふたつ背中合わせに付いていると理解しても良いでしょう。それぞれ、左側から、エミッタ、ベース、コレクタになっています。なお、コレクタはエミッタに比較して低濃度の不純物領域になっています。

　ところで接合を作っただけではデバイスとして、作動しないので端子を設けて、電気を流す回路を作る必要があります。ここで、このふたつのp-n接合ダイオードを「どのようにバイアスするか」が課題になります。そのためには色々な接地*の仕方があり、バイポーラトランジスタの場合にはエミッタ接地、ベース接地、コレクタ接地がありますが、ここではベース接地で説明します。また2-2でふれたように、これらのp-n接合のバイアスをどうするかが課題になります。バイアスとはどちらの向きの電圧を印加するかです。通常、エミッタ〜ベースを順方向バイアス、コレクタ〜ベースを逆方向バイアスにします。それを図表3-2-3に示します。

ベース接地のバイポーラトランジスタ (図表3-2-3)

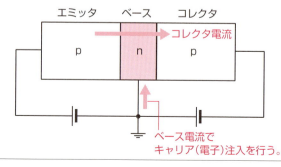

＊**接地**　グラウンド電位にすること。

3-2 大電流のバイポーラトランジスタ

　次にバイポーラトランジスタを、どのようにスイッチングさせるかが、この節の鍵となります。エミッタとベース間に印加した順方向バイアスにより、エミッタからのキャリアはベース領域に到達し、短いベース領域を通過すれば、キャリアがエミッタからコレクタに到達したことになります。すなわち、図に示すようにコレクタ電流（オン電流）が流れたことを意味します。しかし、実際にはベース領域で別のタイプのキャリア（電子と正孔のふたつのキャリアがありますが、この場合は正孔がキャリアとして注入されるので、ベース領域での多数キャリアである電子と再結合することになります）と再結合します。しかし、そのときにベースからベース電流として不足した電子を注入すれば、キャリアがコレクタまで達してトランジスタをオンすることになります。ベースからキャリアを注入しなければ、トランジスタがオフすることになります。

▶▶ バイポーラトランジスタの動作点

　ここからは更に難しい話ですが、バイポーラトランジスタのI-V（電流－電圧）特性のどの点をパワー半導体の動作点として使うかを説明しておくとともに実際のバイポーラトランジスタの動作の追加の説明も兼ねたいと思います。バイポーラトランジスタのI-V特性とは図表3-2-4のようにバイポーラトランジスタの電流をy軸、電圧をx軸に取ったグラフです。これはエミッター－コレクタ電圧に対して、どれくらいのコレクタ電流（これがいわゆるオン電流になります）が流れるかを示したバイポーラトランジスタの動作を表した図です。図表3-2-4ではベース電流I_Bをパラメータにして、エミッタ電圧－コレクタV_{CE}に対して、どれくらいのコレクタ電流（オン電流）が流れるかを示していますが、ベース電流I_Bを増加させてゆくと、コレクタ電流I_Cも増加してゆくことがわかります。これがベース電流でコレクタ電流を制御するということを意味しており、バイポーラトランジスタが電流制御デバイスであるという理由です。

　ベース電流が流れないときにはコレクタ電流は流れません。これを図中に示すように**遮断領域**といいます。一方、ベース電流を増やしていくに従い、コレクタ電流は流れ始めます。この領域を**活性領域**といいます。更にベース電流を増やしてゆくと電源電圧と負荷で決まるコレクタ電流が流れます。このように十分なベース電流を流してオン状態にした領域を**飽和領域**といいます。

3-2 大電流のバイポーラトランジスタ

　実際のパワー半導体用のバイポーラトランジスタは活性領域を使用せず、ベース電流を0か十分流すかして、そのオン・オフは図中の遮断領域のA点と飽和領域のB点との間を高速で移動させることで行われます。この差が大きいほどオン・オフ比＊が大きいことになります。このようにすることで十分に大きなコレクタ電流をオン・オフさせるわけです。少し難しい話ですが、上記の理屈はともかくも、電力の変換を行うパワー半導体のバイポーラトランジスタでは、信号の増幅などを行うバイポーラトランジスタと異なる動作点を用いるということだけは頭に入れておいてもらえばと思います。

　このようにしてベース電流という電流制御でトランジスタのオン・オフの高速スイッチングを行うことができます。少し面倒な話ですが、理解していただけたでしょうか？　以上はあくまでも説明しやすい例で書いたものです。なお、バイポーラトランジスタの接地の仕方は前述のように色々あり、動作も少し異なってきます。興味のある方は専門書をご覧ください。

　なお、この図はエミッタ接地での動作です。前記のバイポーラトランジスタの動作の原理を示す説明ではわかりやすさを優先して、ベース接地で説明しましたが、パワー半導体の場合はエミッタ接地で使用します。

バイポーラトランジスタの動作点（図表3-2-4）

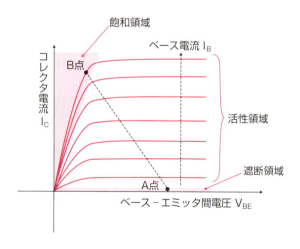

＊**オン・オフ比**　オン時およびオフ時に流れるコレクタ電流の比。もちろん桁違いのオーダーで表される。これが大きいほど良いといえる。

3-3

双安定なサイリスタ

サイリスタは、バイポーラトランジスタより接合面がひとつ多い3つの接合面を持つデバイスです。主な役割は大電流のスイッチングです。

▶▶ サイリスタとは？

　サイリスタ (Thyristor) はダイオードやトランジスタに比べて、聞きなれない人も多いかと思います。その名称はガスサイラトロン＊ (Gas Thyratron) から来ています。サイリスタは電力制御に用いるバイポーラデバイスですが、パワー半導体独自のデバイスといって差し支えないかと思います。その歴史的経緯は2-6でふれました。しかし、バイポーラトランジスタとは原理や構造だけでなく動作も異なります。その動作原理は一節の説明で済むものではなく複雑ですが、オンとオフ状態が作れます。やはり、高速スイッチングができるのが強みです。

　サイリスタは2-6でもふれたように**SCR** (Silicon Controlled Rectifier) とも呼ばれ、**シリコン制御整流器**と訳されます。回路記号は図表3-3-1に示したようになります。(a) は通常のサイリスタ、(b) は後で述べるGTOサイリスタです。

▶▶ サイリスタの原理

　基本的なサイリスタは図表3-3-2に示すような三端子のデバイスで、pnp型とnpn型のふたつのバイポーラトランジスタを一方のベースとコレクタをそれぞれ他方のコレクタとベースに接続したものと等価的になります。図に示すように接合面が3つあります。ゲートとカソードに電圧を印加しベースにゲート電流を流して、オン状態に、アノードに逆方向電圧を印加することでオフ状態にできます。しかも、このサイリスタでは入力信号を取り去っても、その状態が保持 (英語でラッチ：latch) されるという特徴を有します。

　サイリスタの動作は図表3-3-3に示したようなI-V特性がありオンとオフの状態を持ちます。このオンとオフの間でスイッチングを行います。ただし、前述のように外部の電源電圧を利用して、逆電圧を印加してオフさせることでスイッチングを可能にしています。

＊**ガスサイラトロン**　アルゴンなどの希ガスを封入した放電管でアノードとカソードの間にグリッドを入れ大電流のオン・オフなどに使用された。

3-3 双安定なサイリスタ

サイリスタの記号（図表3-3-1）

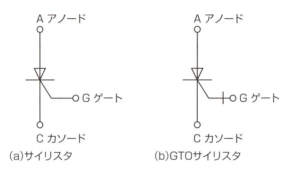

(a)サイリスタ　　(b)GTOサイリスタ

サイリスタの模式図（図表3-3-2）

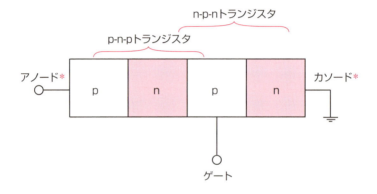

▶▶ GTOサイリスタの登場

　GTOサイリスタとはゲート・ターン・オフ・サイリスタ（Gate Turn Off Thyristor）の略です。通常のサイリスタでオン状態を作るとそれで安定してしまい、オフ状態にするには転流回路といって、別の回路から電流を供給してオフ状態にする必要があるわけですが、GTOサイリスタの場合はオフ用のゲートを別に設けてオフ状態にできることが特徴です。

＊**アノード、カソード**　ガスサイラトロン時代の名称から踏襲されたと思われる。

ラッチアップ動作の模式図（図表3-3-3）

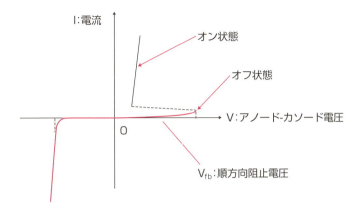

▶▶ サイリスタの応用

　サイリスタはこれらのスイッチング作用を利用して、産業機器の電力制御や電力変換に用いられます。たとえば、電車のモータの回転制御などです。しかし、サイリスタはスイッチングが高速ではないので、電車のモータの回転制御などもIGBTに取って代わられています。

　また、サイリスタは電源電圧を利用して外部から逆電圧を印加してオフさせる必要があり、そのために複雑な転流回路が必要になります。これを**他励式**といいます。後で述べるIGBTはこの転流回路が不要（これを**自励式**といいます）なのがメリットです。

3-4

高速動作のパワーMOSFET

　ここではMOSFETの動作原理を説明するとともに、パワーMOSFETの発展の歴史を少し紐解きます。実際はMOS LSIで使用されるMOSトランジスタと原理や動作は同じですが、動作の電圧や流れる電流は桁が違います。

▶▶ MOSFETの動作原理

　バイポーラトランジスタの場合は**電流制御**ですが、MOSFETの場合は2-5で述べましたが図表3-4-1に示すようにゲートに電圧をかけることで、ソースとドレインの間の電流パスを形成し、トランジスタのオン・オフ動作をさせるものです。ゲート**電圧制御**なので、入力のインピーダンス*が高いのが特徴になります。これが後で課題として出てくるオン抵抗の問題にもつながってきます（図中にはキャリアの流れを示しました。この場合はnチャネル型と呼び、電子がキャリアとなるので電流の向きは逆です）。細かいことですが、図表3-4-1は模式的に描いたもので、実際に近い形は図表9-3-1を参考にしてください。

　MOSトランジスタに詳しい人ならおわかりでしょうが、パワー半導体に使用されるMOSFETは**nチャネル**の**エンハンスメント型**です。その理由は、より大きな電流が流せるのと、**オン・オフ比**が取れることです。nチャネルというのはキャリアが電子で、エンハンスメント型というのは**ノーマリーオフ型**ともいいますが、ゲートに電圧を印加しないとトランジスタが動作しないタイプです。このことを深く記す余裕はないので、ある程度知っているという前提で以降の話を進めますが、わかりやすいたとえでいうと、水道の栓を開けないと水が流れないことと同じです。ゲート電圧を印加しなくても少し電流が流れるのは漏れ電流と呼び、省エネには不向きになります。水道でも漏れていれば、メータが跳ね上がるのと同じです。このノーマリーオフという言葉は、第10章のGaNのところでも出てきますので頭に入れておいてください。

　なお、ここでは原理の説明上、通常のMOSトランジスタである図表3-4-1で説明しましたが、パワーMOSFETの場合は大きな電流を流す必要がありますし、耐圧も必要なので、図表3-4-2に示すような縦型の構造を採るのが普通です。更に図に

＊**インピーダンス**　交流動作時の抵抗。

3-4 高速動作のパワーMOSFET

示した構造は拡散層を二重にした**縦型二重拡散型**と呼ばれるものです。英語ではVertical Diffusion MOSFETと称し、略して**VD-MOSFET**と呼ばれます。また、電流を採るために1-6でふれたように平面の構造も違います。

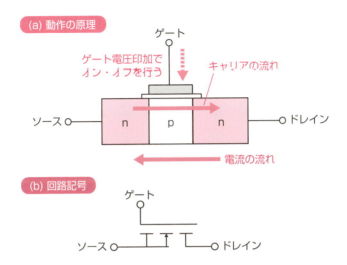

MOSトランジスタの動作原理と回路記号（図表3-4-1）

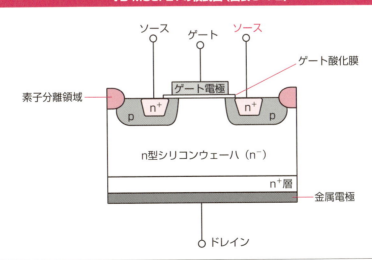

VD-MOSFETの模式図（図表3-4-2）

パワーMOSFETの特徴とは？

　MOSFETの歴史的背景は第2章でふれました。パワー半導体にMOSFETが必要になった理由を、3-2で学んだ知識をもとに第2章より少し詳しく述べますと、バイポーラトランジスタの場合のスイッチングはその原理から電流制御ですので、ベース領域での再結合過程（～3μsec）がターンオフの律速になります。要はオフさせるのに時間がかかるということです。

　しかし、パワーMOSFETの場合はゲート電極への電圧印加という電圧制御ですので、オフさせるのに再結合過程はなくスイッチングは一桁ほど速くなります。バイポーラトランジスタの場合は伝導度変調＊により、パワーMOSFETより飽和損失は小さくなります。しかし、スイッチング損失は一桁大きく、しかも動作周波数に比例して大きくなります。図表3-4-3にその模式図を示しますが、高速ではパワーMOSFETのスイッチング損失がいちばん小さくなります。

MOSFETとバイポーラトランジスタの損失の比較（図表3-4-3）

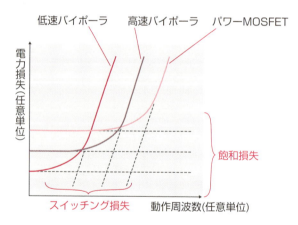

出典："パワーMOS FETの応用技術"山崎浩、日刊工業新聞社（1988）

　MOSFETの最大の特徴は高速スイッチングが可能になることと書きましたが、動作上は数MHz（メガヘルツ）の高速動作が可能です。数MHzというのは1秒間に数百万回スイッチングするということです。ただ、一方でMOSFETは高耐圧化や大

＊**伝導度変調**　領域内のキャリアの濃度が高くなることで、抵抗が下がり伝導度が向上する現象。

電流には向いていないので、数kVA以下の小〜中電力領域での民生品での利用が主になります。なぜ高耐圧化に向いていないかというと、n型領域の厚さを薄くすればオン抵抗は低減できますが、そうすると耐圧がとれなくなるためです。オン抵抗と耐圧の件は3-6で詳しくふれます。

MOSFETの色々な構造

このように高速動作に利用されてきたMOSFETですが、応用範囲が増えるにつれ、色々な構造のものが出てきました。これも全部紹介する紙面がないのでいくつかの例を説明します。たとえば、より耐圧を取る構造として、図表3-4-4のようなチャネル部に溝を形成した構造もあります。

しかし、V字の先端に電界が集中するということで、それを緩和するためにU字形の溝にした構造もあります。このようにパワーMOSFETも世代交代とともに構造も大きく変わってきました。

プロセスの話になりますが、V字溝の場合は水酸化カリウム（KOH）などを用いてシリコン結晶の特定方位にエッチングが進む異方性エッチング（7-2参照）を用いることで形成できますが、U字溝の場合はドライエッチング＊を用いることになります。このようにトランジスタ構造のプロセスはパワー半導体でも複雑です。7-2も参考にしてください。

パワーMOSFETの例－V-Groove型（図表3-4-4）

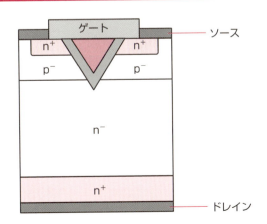

＊ドライエッチング　反応性のガスをプラズマにして進めるエッチング。これに対して薬品を用いるものをウェットエッチングという。

3-5 エコ時代のIGBT

第2章でも述べたようにIGBTとはInsulated Gate Bipolar Transistorの略で絶縁ゲート型バイポーラトランジスタと呼ばれています。ここではIGBTの原理と動作について踏み込んで述べます。

▶▶ IGBT登場の背景

第2章と多少重複するかもしれませんが、**IGBT**の出現について説明します。これまで説明したようにバイポーラトランジスタ、サイリスタ、パワーMOSFETとパワー半導体が出揃ってきました。とはいえ、高速スイッチング可能なMOSFETにも課題はあります。高速にするためには、MOSFETの構造上の制約から耐圧が低いという問題です。しかし、応用市場では大電圧領域での電力変換が求められるようになりました。たとえば、新幹線の誘導モータ用のインバータなどです。そのため比較的大電圧領域でも高速スイッチングが可能なパワー半導体が必要になります。そこで登場してきたのがIGBTです。まず、図表3-5-1に各パワー半導体の棲み分けを模式的に示します。

各パワー半導体の棲み分け（図表3-5-1）

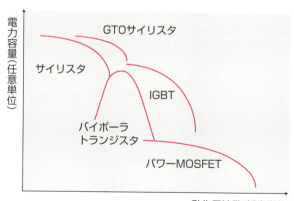

出典：種々の資料に基づき作成

3-5　エコ時代のIGBT

　図表3-5-1は動作周波数をX軸、電力容量をY軸にして各パワー半導体の得意領域を示したものですが、IGBTがバイポーラトランジスタとMOSFETの不足領域をカバーしていることがわかります。ここで動作周波数はスイッチング速度、電力容量は耐圧と読み替えても良いでしょう。

▶▶ IGBTの動作原理

　一般的な縦型のIGBTの例で説明します。まず図表3-5-2にIGBTの構造の模式図と回路記号を示します。図表3-4-2のVD型パワーMOSFETと比較していただけるとわかると思いますが、大胆な見方をすれば、パワーMOSFETの下部にバイポーラトランジスタを付けたような形になっていることがわかります。シリコン基板側が下部からp^+-n^+-nの三層になっているのが特徴です。ここでnはシリコン基板です。このp^+とn^+-nとエミッタの下のp層で$p-n-p$のバイポーラトランジスタを形成しているわけです。これを図表3-5-3に描いてみました。

　いまゲート電圧を印加するとチャネルが形成されてMOSFETのドレイン電流が流れますが、これがpnpバイポーラトランジスタのベース電流となり、下部のバイ

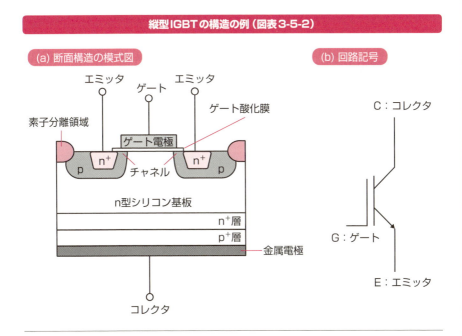

縦型IGBTの構造の例（図表3-5-2）

3-5 エコ時代のIGBT

ポーラトランジスタがオンして、IGBTがオンします。ゲート電圧をオフすれば、IGBTはオフになります。

IGBTの場合はサイリスタのように転流回路を必要とせず、MOSFET部でオン・オフできることが最大のメリットです。

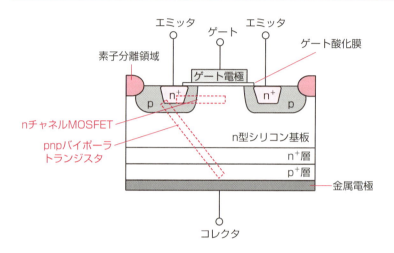

IGBTの構造の分析の例 (図表3-5-3)

▶▶ 横型IGBTの例

IGBTには縦型ばかりでなく横型もあります。図表3-5-4には、横型IGBTの例を示しておきます。

まず、図に示すように高い絶縁耐圧が必要なので、厚い絶縁膜によりゲート電極 (図で色の付いた太線で示しています) が覆われています。また、電流パスも耐圧が必要なので、エミッタ、コレクタ間のサイズは大きくなり、また大電流を流すために拡散層の深さも深いものになっています。図は便宜上、縦横比が正確ではありません。n^-層の厚さ (深さ) は数百μm単位です。先端MOSトランジスタと比較すると数桁違うことがわかります。ここであえて横型IGBTを取り上げたのは、半導体デバイスの奥深さを知っていただくためという意味もあります。電流のオン・オフは横型IGBTでもいうまでもなく、ゲートへの印加電圧により、図のゲート電極の下のp層を反転させることで電子の通り道 (チャネル) を作ることで行います。バイポーラ

3-5 エコ時代のIGBT

トランジスタは、エミッタの下のp層とそれに続くn⁻層とコレクタのp/p⁺層で形成されています。

なぜ横型のIGBTが必要かというと、他の、たとえば駆動回路などと集積化しやすいためです。その一例として低消費電力のCMOS回路を駆動回路として一体化する場合などがあります。この場合は、通常のMOS LSIプロセスを使う必要があるため、横型にします。縦型のIGBTは第9章でふれますが、通常のMOS LSIプロセスとはかなり異なります。

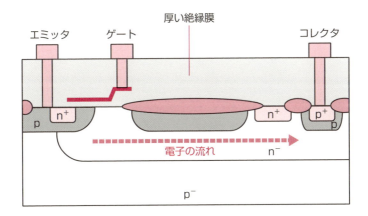

横型IGBTの例（図表3-5-4）

▶▶ IGBTの課題

IGBTは大電流領域での高速スイッチングが可能という特徴がありますが、これまで説明しましたようにバイポーラトランジスタとMOSFETの組み合わせであることから、構造も複雑であり、そのため製造プロセスも複雑になります。もちろん、コストも高くなる要因になります。

たとえば、IGBTではパンチスルー型という9-3でふれるエピタキシャル成長を使うものがあり、まだIGBTの半分ほどを占めているといわれていますが、エピタキシャル成長層の不純物濃度のコントロールが難しいといわれています。そのため、IGBTでの色々な構造が提案されています。このあたりは第9章で更に踏み込んで説明します。

3-6
パワー半導体の課題を探る

パワー半導体の課題は色々あるのですが、ここではオン抵抗と耐圧の問題に絞って解説します。パワー半導体ならではの課題です。

▶▶ オン抵抗とは？

オン抵抗とはトランジスタの動作時の入力抵抗のことです。これが高いほど、わかりやすくいうと「大飯食い」ということになります。逆にいえば、オン抵抗を低減できれば、より大きな負荷を課すことができるといえます。

オン抵抗の要因は色々あり、簡単に説明できることではありませんが、ひとつの例としては図表3-6-1に示すようにp-n接合の順方向に電圧をかけていったときの電流の流れやすさと理解して良いでしょう。電流が流れにくいほど、オン抵抗が高いということになります。

p-n接合で見るオン抵抗と耐圧の関係（図表3-6-1）

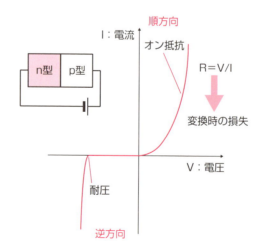

3-6　パワー半導体の課題を探る

　その対策としてはMOSFETの例でいえば、まずは（100）基板※を用いることです。（100）の方が電子の移動度が高く、オン抵抗を下げるには適しているからです。また、エピタキシャルウェーハを使用するのも対策のひとつです。エピタキシャル層の不純物濃度と厚さでオン抵抗と次に述べる耐圧が決まるといえます。

　これは言い換えるとチャネル抵抗を下げることが必要ということです。そのため、短いチャネル長で広いチャネル幅を持つVMOSやDMOSとして実現されました。文章ではわかりにくいと思いますが、3-4で説明したとおりです。

▶▶ 耐圧とは？

　耐圧とは何ボルトまでの電圧に耐えられるかということです。実際の給電側での供給電圧はある程度の区分ができていますので、その用途での耐圧をどれだけ求めるかということになります。これはある程度は標準化されており、図表3-6-2に示すような目安があります。

　耐圧はオン抵抗と両立しません。なぜならば、p-n接合に流れる電流の抵抗を下げるには半導体層の厚さを薄くすれば良いのですが、半導体層を薄くすることは印加可能な電圧の低下、すなわち耐圧の低下を意味するからです。それを図表3-6-1の左側に示します。これはp-n接合の逆方向の電圧を加えていったときの耐圧を示しています。

耐圧の目安（図表3-6-2）

・低耐圧　～300V
・高耐圧　300V以上

(a) 耐圧の区分の例その1

・低耐圧　～150V
・中耐圧　150V～300V
・高耐圧　300V以上

(b) 耐圧の区分の例その2

※**(100) 基板**　面方位が〈100〉であるシリコンウェーハをいいます。バイポーラトランジスタでは〈111〉を使用しています。

3-6 パワー半導体の課題を探る

▶▶ シリコンの限界は？

　第6章のシリコンウェーハのところで詳しくふれますが、オン抵抗の低減と耐圧向上を図るにはシリコンでは既に物性的に限界があるとして、新しい材料に移行しようという動きがあります。それがSiCやGaNです。これらの材料は物性的にシリコンの耐圧を凌駕しており、オン抵抗の低減もSiCやGaNの電子の移動度からすると可能です。このようにパワー半導体の分野では先端MOS LSIとは、基板材料の開発という領域の異なる競争が始まっています。それがこの分野の特徴であるともいえます。

　一方、シリコンを用いるパワー半導体ではプレーナ型では対応できずに、トレンチ型などに移行しつつあります。構造で対応するのがシリコンです。流れとしてはウェーハの薄膜化、プレーナ化、トレンチ化、そしてパンチスルー型からノンパンチスルー型、そしてフィールドストップ型となっています。更に詳しくは第9章や第10章でふれます。

第4章

パワー半導体の用途と市場

この章ではパワー半導体の応用分野を、産業界から一般家庭まで広く取り上げて解説します。身の回りで目立ちませんがパワー半導体の役割は広範囲にわたっています。

4-1

パワー半導体の市場規模

広い意味でのパワー半導体の市場規模は、ワールドワイドで3兆円にせまるといわれています。これはいまをときめくフラッシュメモリに相当する市場規模です。

▶▶ パワー半導体の市場

　為替の変動で値は動きますが、全世界（2020年）の半導体デバイス市場は約50兆円です。その中でパワー半導体の市場は2兆8千億円を越えるという調査結果もあり、フラッシュメモリ市場に規模的にはかないませんがひとつの市場を形成しています。市場の伸びも期待され2030年には5兆円にせまるという予測もあります。数字はともかく市場の伸びが期待される分野です。第11章で述べる脱炭素政策の推進などで、ますますパワー半導体の出番が多くなることも予想され、今後の市場動向が注目されます。更には第10章で述べるシリコンに替わる新しい材料であるSiCやGaNなどのいわゆるワイドギャップ半導体＊材料による性能向上など、今後の伸びしろも期待されます。SiCやGaNはまだ材料コストが高いですが、今後低価格化が進めば、一気に市場のシェアも大きくなると思われます。

　参考までに各半導体製品別のシェアを図表4-1-1に示します。これは2020年度の実績の数字ですが、圧倒的にIC（LSI）が多い中で、パワー半導体を含むディスクリート半導体も5.4％とまだまだ少ないですが、今後の伸びが期待されます。

▶▶ パワー半導体への参入企業

　この分野への参入企業は大きく分けて、本書では3つのグループに分けられると考えます。ひとつは伝統的な総合電機部門を持つメーカです。我が国でいえば、東芝、日立、三菱、ルネサスなどです。海外ではインフィニオン（独シーメンスから分離）、オン・セミコンダクターなどです。もうひとつはパワー半導体の専門メーカです。全社的な半導体事業の規模としては小さいですが、我が国でいえば、富士電機、新電元、サンケン電気、海外ではVishayなどでしょうか。

　その他は新しくパワー半導体を扱う新興勢力です。我が国ではローム、京セラなどの部品メーカが参入しています。これらを図表4-1-2にまとめてみました。色々

＊**ワイドギャップ半導体**　シリコンに比べて禁制帯の大きな半導体（10-1参照）。

4-1 パワー半導体の市場規模

な見方があると思いますが、第8章とのつながりで分けています。

▶▶ 日本企業が強いパワー半導体部門

メモリや先端ロジックでは苦戦している日本企業ですが、パワー半導体の分野では存在感を示しています。詳しくは第8章でふれます。パワー半導体の分野はこれからの半導体ビジネス展開の上で考えさせられるものがあると思います。今後もこの強みを発揮できるような戦略を考えてゆくべきと思います。

各半導体製品の市場（図表4-1-1）

- センサ 3.4%
- ディスクリート全体 5.4%
- オプトエレクトロニクス 9.2%
- IC(LSI) 82.0%

出典：WSTS日本協議会資料を元に作成

パワー半導体の参加企業（図表4-1-2）

	総合電機系からの参入	新興勢力	専業メーカ
海外	インフィニオン／STマイクロ	オン・セミコンダクター／Nexperia	Vishay
国内	東芝／三菱／日立／ルネサス	ローム／京セラ	富士電機／サンケン電気

第4章 パワー半導体の用途と市場

4-2
電力インフラとパワー半導体

パワー半導体の応用を探る前に発電所で作られた電力はどのようにして我々の身近なところに届くのでしょうか？　ここでは、それをまず見てみたいと思います。

▶▶ 電力網とパワー半導体

既存の電力網は水力や火力、原子力などの各発電所で発電された電力を送電するものです。送電には三相交流送電と直流送電があります（それぞれにメリット、デメリットがありますが、ここでそれらにふれる余裕はないので、詳細は他書に譲ります）。

我が国では大きい電力が送れる三相交流が主流です。直流送電は交流のようなリアクタンス*がなく、交流電圧の実効値の$1/\sqrt{2}$の絶縁で良いというメリットから、たとえば、北海道〜本州間や四国〜本州間の送電に用いられています。これらの送電網で交流➡直流、直流➡交流の変換が行われる際にパワー半導体が用いられます。また、ご存じのように我が国では富士川を境に東は50Hz、西は60Hzと周波数が異なります。電力融通を行うために周波数変換所が、何箇所かその境界に設置されていますが、その規模はそんなに大きいものではありません。この周波数変換を行うのもパワー半導体の役割です。以上、述べた送電の仕組みを図表4-2-1にまとめてみました。

発電所で作られる電圧は50〜27.5万Vのような高圧ですので、発電所から高圧送電線で送電され、変電所に到達します。図では便宜上1回の変電になっていますが、実際には何段階もの変電所を経て、ユーザーに配電される最終変電所まで送られます。図では一方向的に描いていますが、もちろん送電網はネットワーク化され、過不足に応じて、送電をコントロールしています。ここからユーザーへの給電を**配電***と呼んで、発電所から変電所までの**送電***とは区別します。最終的にはビルなどには交流22,000Vで供給し、一般家庭には電柱から変圧器を経て、交流100Vの電気を供給します。大口消費者の工場などでは自前の変電所などがある場合もあり、図はあくまで一般的なものとして見てください。

＊リアクタンス（reactance）　交流回路に入るコイルやコンデンサの電圧と電流の比で、疑似的な電気抵抗と考えて良い。

4-2 電力インフラとパワー半導体

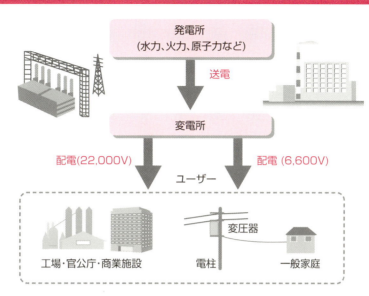

電力送電網と配電（図表4-2-1）

▶▶ 実際のユースポイントでは

　電力会社が供給する電気は電圧や周波数が一定ですが、実際に使うユースポイント（工場、商業施設、オフィス、一般家庭）においては機器に応じて色々な電圧や周波数が必要です。したがって基本的には1-2で述べたインバータやコンバータを利用して、機器（負荷）に最適な電圧や周波数に変換する必要があります。

　一方、家庭用の太陽電池や燃料電池でも家庭用電源に合わせて供給する必要があります。これについては第11章でふれます。これらのコンバータ、インバータを構成するキーパーツがパワー半導体です。このとき大事なのが、9-1でふれる**変換効率**です。

▶▶ パワー半導体の産業機器への応用

　産業機器ではモータが使用されることが多いですが、インバータで作られる交流は可変電圧、可変周波数の交流と考えられるので、誘導モータの速度制御に最適です。そこで、工場のポンプやファン、ベルトコンベア、工作機械など誘導モータが使

＊**送電と配電**　発電所の電気は前述のように27.5万Ｖ以上の超高圧なので、順次変電所で変圧されます。ここまでを「送電」といいます。市中へは配電変電所で6,600Ｖに変圧されて「配電」されます。家庭には電柱のトランスで100Ｖに変圧され供給されます。

4-2 電力インフラとパワー半導体

用される装置・機器の速度制御にパワー半導体が使用されます。この原理は4-3でふれますので、そちらを参考にしてください。ここでは、産業機器に使用される誘導モータでは、その速度制御にパワー半導体で構成されるインバータが有効であることを頭に入れておいてもらえればと思います。

パワー半導体は、このようにエネルギー（電力）供給側とエネルギー消費側の間で電力変換という仕事をするデバイスといえます。つまり、電力供給側の電力をユーザー側で使える電力へ変換するデバイスといえます。ユーザー側には色々なニーズがあるので、その役割も幅広いといえます。図表4-2-2-にそれをまとめてみました。ただ、ここでは従来の発電リソースとの関係でふれただけなので、今後の電力網であるスマートグリッドの中で果たす役割も第11章で考えてゆきたいと思います。それがパワー半導体の潜在力（ポテンシャル）だといえます。

パワー半導体の役割（図表4-2-2）

4-3
交通インフラとパワー半導体

ここでは電車や自動車などの交通インフラとパワー半導体の関係を探ります。これからのクリーンエネルギーの時代には重要になります。

▶▶ 電車とパワー半導体

　車社会により一時廃止された路面電車、いわゆる**ライトレール**（Light Rail Transit）の復活に見られるように鉄道が復権しようとしています。現在、CO_2排出量のうち、20％ほどを運輸関係で占めているというデータがあり、これは自動車の排気によるものが多いとされているからです。その点、電車に代表される鉄道はCO_2の排出がないといっていいので、環境・エネルギーの世紀といわれる21世紀の移動手段として見直されています。実はこの電車・電気機関車にもパワー半導体が必要です。

　2-1でも紹介しましたが、電車などの整流機器やインバータにはパワー半導体が使用されています。ある意味、現在の電気機関車や電車の発展はパワー半導体に負うといっても過言ではないでしょう。

　ここで、少しおさらいというか、鉄道インフラについてふれましょう。我が国では以前は**直流電化**でした。特に戦前から電化されていた地区を中心に在来線はいまでも直流電化の線路があります。現在は新幹線をはじめ、新しく電化された在来線の電化区間は**交流電化**＊が殆どです。これは直流電化では変電所の間隔を数kmで設置しなければならないため、鉄道の建設コストがかかるからです。一方、交流電化では数十kmから110km程度まで変電所の間隔を広げることができるため、建設コストが抑えられます。それでは電車に積んでいるモータはどうでしょうか？　これもしばらく前までは直流モータが使用されていました。直流モータはブラシと整流子を組み合わせた面白い原理のモータですが、逆にそのためにメンテナンスの負荷が大きいのが欠点です。そのため、最近は交流モータになり、いわゆる**誘導モータ**（induction motor）を使用しています。上述のことは工作などでブラシ付きの直流モータを作ったことがあれば、実感できると思います。筆者も不器用なので苦労しました。また、ブラシが消耗する点も問題となります。

　この交流電化で直流モータを使用するシステムでは整流器が必要で、2-6で述べ

＊交流電化　我が国では1954年に仙山線（仙台―山形間）の仙台―作並間で試験運転が始まった。

たように昔は水銀整流器が使用されたようですが、**シリコン整流器**が発明されてからはパワー半導体の時代になりました。これは1960年代には**シリコンサイリスタ**が使用され、1970年代にはスイッチオフもできる**GTOサイリスタ**が登場したことによります。

実際の電力変換

ただ、実際の電車や電気機関車で実際にどんな電力変換が必要になるかというと複雑になるので、本書では新幹線を例に取ります。

新幹線は交流電化で25,000Vです。モータは100系では直流モータ（230kW、800kg）でしたが、300系以降では交流モータ（300kW、375kg）になっています。交流モータの方が軽くても出力が出せることがわかると思います。交流電化で直流モータなら整流器が必要であることはわかると思いますが、交流電化で交流モータの場合には、次に述べるように電圧変換や周波数変換を行います。電車に興味のない人は100系とか300系とかN700系とか不案内だと思いますが、この順に新しくなっているとご理解ください。

N700系にはIGBT

交流電化で交流モータを使用する場合ですが、図表4-3-1に示すように変電所で降圧して架線に送られた交流は電車内で更に変圧され、この後、三相インバータで交流誘導モータの回転速度を制御します。1台のインバータで複数のモータを動かす仕組みです。

この方式は**VVVF**（variable voltage variable frequency）方式と呼ばれ、**可変電圧可変周波数型**ともいわれます。図表4-3-2に示すように交流の電圧と周波数を右側から左側にインバータで変換して、誘導モータの回転を変え、速度制御するタイプです。このインバータによる速度制御には1990年代の中頃からIGBTが使用されています。たとえば、東海道新幹線でも300系まではGTOサイリスタが使用されていましたが、現在主流のN700系以降はIGBTが活躍しています。

図表4-3-1は模式的に描いたもので、もちろん、これらパワーエレクトロニクス装置は車体の下に収納されています。余談になりますが、これらの取り付けは反転艤装といい、車体を反転させた状態で行います。筆者は偶然にも車両工場で見せて

いただく機会がありましたので紹介しました。

余談ついでに、識者によりますと電車が走り出すときの「ピー！」という耳障りな音はインバータのスイッチング音だそうです。今度電車に乗るときに耳を澄ませて聴いてみてください。新幹線でなくても、たとえば小田急でもGTOサイリスタとIGBTではだいぶ音が違うそうですので、興味のある方は確かめてみてください。

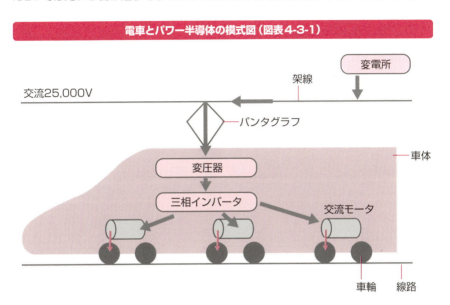

電車とパワー半導体の模式図（図表4-3-1）

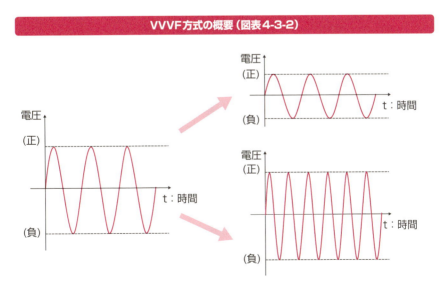

VVVF方式の概要（図表4-3-2）

4-3 交通インフラとパワー半導体

なお、ここでは紙面の都合上、速度制御系の電力変換だけを説明しました。電車でもそれ以外に電力を使うものとして、エアコン、コンプレッサーなどの三相交流を使うもの、ヒーターや照明のように単相交流を用いるもの、バッテリーのように直流電源を用いるもの（4-4参照）など様々あります。このため、これ以外の電力変換を行うパワー半導体も多く使用されています。

▶▶ ハイブリッド列車の登場

4-4でハイブリッド自動車へのパワー半導体の応用にふれますが、その前にハイブリッド列車やハイブリッド機関車が登場したことを紹介しておきます。たとえば、JR東日本が小海線に登場させた「キハE200型」は、同社によると世界初の営業運転だそうです。「キハ」というのはディーゼルエンジンで走る車両のことで「E」はJR東日本のEastのようです。その仕組みはディーゼルエンジンで発電した電気を前記のようなメカニズムで誘導モータを回転制御するものです。図表4-3-3に掲げた五能線の「リゾートしらかみ号」もハイブリッド化されています。世界自然遺産のそばを走るので環境に配慮したのだと思います。また、非電化区間だけなく仙石－東北ラインのように直流と交流の混在区間＊でも実用化されました。

ハイブリッド観光列車"リゾートしらかみ"（図表4-3-3）

橅（ぶな）編成　鰺ヶ沢駅にて

注）同列車には"青池"、"くまげら"、"橅（ぶな）"の3編成がある。

＊**混在区間**　混在区間と記したが、東北本線が交流電化で、仙石線が直流電化。そのため、相互乗り入れは不可でハイブリッド車両を導入した。両方の線をつなぐ連絡線が非電化区間となる。

4-4 自動車とパワー半導体

次は自動車などの交通インフラとパワー半導体の関係を探ります。自動車では電車で要求される電力変換とは別の電力変換が求められます。

▶▶ 電気自動車の登場とパワー半導体

前節でもふれたように、現在のCO_2排出量のうち、20%ほどを運輸関係で占めているというデータがあり、これは自動車の排気によるものが多いとされています。自動車の方も**ハイブリッドカー**（**HV**：Hybrid Vehicle）や「電気自動車」（EV：Electric Vehicle）への移行が始まっています。図表4-4-1はハイブリッドカーの写真です。一方、脱炭素化政策により一気に電気自動車に進む動きもあります。国内でもEVの増加とともに充電スポットが増えています。

現在の自動車は電子制御が進み、多くの車載用の半導体が使用されております。ここでは、それとは別に自動車の動力とパワー半導体に視点を絞って述べます。特に前述のように環境問題への対策として、ハイブリッドカー（以降、HV）が実用化されて久しく、また、最近は電気自動車（以降、EV）の実用化が加速しています。これらにはパワー半導体が欠かせません。ご存知のようにHVは従来の化石燃料のエンジンと電気で動くモータを併用するもので、初動をエンジンで行い、安定走行でモータに切り替えるなど、色々な環境負荷低減の方法が提案されており、バッテリーの充電の方式なども色々提案されています。図表4-4-2にHVのシステムの例を示します。

トヨタ自動車が開発したHV「プリウス」（図表4-4-1）

©Mytho88

4-4 自動車とパワー半導体

HV車とパワー半導体（図表4-4-2）

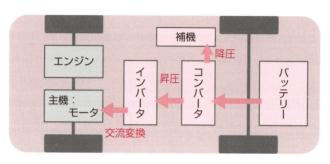

出典：種々の資料より作成

また、EVは完全にバッテリーによるモータ駆動で走行するものであり、ガソリンフリーになるというメリットがあります。これについては11-4でふれます。

▶▶ パワー半導体の役割

もともと自動車の電装系はバッテリーで補っていたわけですが、EVやHVでは電源系（電池使用）からモータに電力を供給する走行系の高い電圧とそれ以外の電装系の低い電圧が必要なので、昇圧・降圧回路が必要です。自動車業界では走行系の機器を「主機」、それ以外を「補機」と呼びます。すなわち、HVでもEVでも走行するのはモータですので、モータが主機、パワーウィンドウやパワーステアリング（12～14V）を補機系として、バッテリーから降圧して供給します。つまり、車載用パワー半導体はバッテリー電圧の昇圧、降圧回路に用いられるということです。それを図表4-4-3に示します。

図表4-4-2を見ながら読んでもらえれば良いと思いますが、現行のHV車であるプリウスの場合、201.6Vのニッケル－水素電池の例では最大650Vまで昇圧し、インバータで三相交流に変換してモータを駆動しています。つまり、パワー半導体は昇圧コンバータと交流から直流の変換のインバータに使用されています。また、補機の12～14Vへは降圧コンバータで行います。前述のインバータは、現在はシリコンの縦型IGBTが使用されています。これを更にSiCやGaNに替えていこうという動きになっています。

自動車の昇圧・降圧とパワー半導体（図表4-4-3）

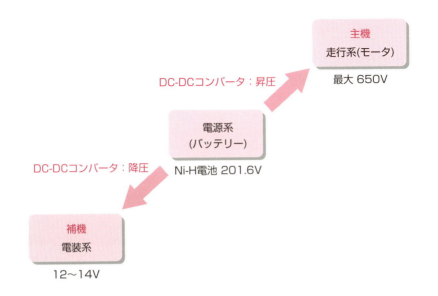

▶▶ 降圧・昇圧とは

　昇圧や降圧の方法は、あまり聞いたことがないかもしれませんので、ここで説明しておきます。これを行うのは直流チョッパー方式といわれる方式です。詳しい原理は少し難しい話になりますので、回路構成も含め10-3でふれたいと思いますが、直流をいったんパルス化して、トータルの電圧を下げる方法です。

　交流の場合は変圧器（トランス：transformer）で電圧の昇降圧を行えば良いわけですが、直流の場合はこのチョッパー方式が使用されます。

4-5

情報・通信とパワー半導体

現在のIT時代にもパワー半導体は欠かせません。ここではオフィスに目を転じて、情報・通信とOA機器とパワー半導体の関係を探ります。

▶▶ IT時代とパワー半導体

　ITとパワー半導体？　電力の変換がその仕事であるパワー半導体と情報を扱うITと何が関係するのかと思われる方もいるかもしれません。しかし、たとえば、オフィスでも官公庁でも工場でも情報は電子データで管理され、ネットワークでつながっており、突然停電が来たらどうでしょう。医療機関や銀行などのオンラインシステム、交通管制システムなどを想像するとその深刻さが良くわかると思います。このため、商用電源とは異なる**無停電電源**（**UPS**：uninterruptible power supply）に情報機器が接続されているのです。一般にオフィスなどで使用される方式は**定電圧定周波数方式**で**CVCF**（constant voltage constant frequency）方式ともいわれています。ここでもインバータが活躍します。

　具体的に説明してゆきますが、オフィスをイメージして見てください。オフィスの机にはパソコンが並び、画面に向かって仕事をしているという見慣れた風景です。また、コピー機やサーバーなどのOA機器なしに日常のビジネスは成り立ちません。これらの機器は停電などで、急に電源が切れるとデータが消失してしまう恐れがあり、前述のUPS電源を接続することで対策を行います。図表4-5-1にその例を示します。これは常時インバータ給電式といわれるもので、通常時は商用電源の交流を整流器で直流に変え、バッテリーを充電しつつ、常時インバータ回路を経由してPCに供給します。もちろん、PC側のアダプターで適正な直流電圧にしているわけです。

　一方、停電時は商用電源が切れるので、図表4-5-1に破線で示すようにバッテリーからの給電に切り替わるわけです。この場合、コンバータで昇圧して、その後、インバータで交流化して商用電源と同じ交流にしています。

▶▶ 実際の動作

　このインバータ動作は4-4で説明した電圧の降圧、昇圧を行います。以前はサイリスタやGTOサイリスタで高速スイッチングを行っていましたが、最近はIGBT装備のものも出ています。UPS電源は専業の電源メーカが市場を形成しています。第11章でふれるような再生可能なエネルギー源を電源として活かすためのパワーコンディショナーの製造メーカと同じメーカが参入しているケースもあります。図表4-5-2にUPS電源の例とその回路構成を参考までに載せてみました。図のいちばん上の線がバイパスになることはいうまでもありません。

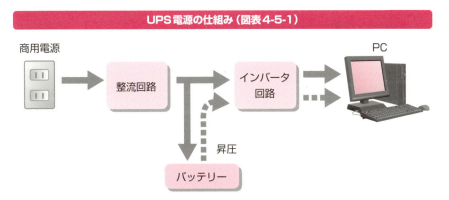

UPS電源の仕組み（図表4-5-1）

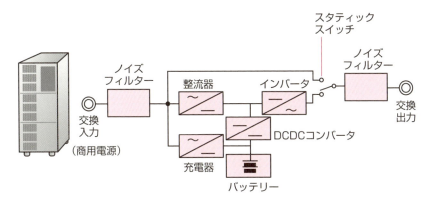

UPS電源の例（常時インバータ方式）（図表4-5-2）

出典：YAMABISHIホームページを元に作成

4-6
家電とパワー半導体

ここでは家電機器とパワー半導体の関係を探ります。その代表例として、IH調理器とLED照明を紹介しましょう。

▶▶ IH調理器とは？

1-3で述べた蛍光灯や家庭用エアコンのインバータ制御の他に冷蔵庫、洗濯機にもインバータ制御が使用されていることはよく知られています。ここで使用されるインバータはコンプレッサーやモータの制御に使用されるインバータであり、4-3で紹介した新幹線などのモータ制御と同じ働きです。この節ではインバータの少し違う働きを紹介したいと思います。

読者の中にも使っておられる人もいるかと思いますが、エコ時代の調理器として注目されているのがIH調理器です。IHとはInduction Heatingの略で誘導加熱と訳されています。また、IH調理器を電磁調理器などという場合もあります。IH調理器はIHコイルに電流を流すことで、渦電流を発生させ、鍋やフライパンの底面にジュール熱を発生させ、調理を行うものです。鍋やフライパンが直接熱を発生させるので、火を使用しないため安全であり、熱の殆どが調理に使用されることになるので経済的でもあり、注目されています。上記のような安全上の理由から高層マンションなどでは標準装備のようになっています。図表4-6-1にはIH調理テーブルの例を挙げておきました。

IHクッキングヒーター（パナソニック）（図表4-6-1）

©Panasonic Corporation 2011

4-6 家電とパワー半導体

渦電流（英語ではeddy current）ですが、渦電流をFoucault（フーコー）電流という場合もあります。なお、Foucault＊は人名で、この渦電流の発見者です。

渦電流や誘導加熱については、なじみの少ない人も多いかもしれませんので、簡単に説明します。

図表4-6-2に示すようにIH調理器の加熱コイルに高周波電流を流すと磁力線が発生します。その上に金属の鍋などを置くと磁力線が変化し、拡大図に示すように金属内に渦電流が発生します。これが流れ、抵抗によりジュール熱が発生し、それにより加熱が行われるわけです。

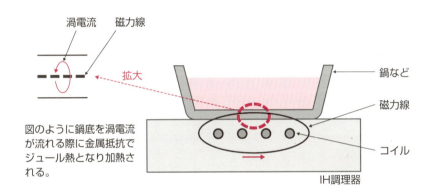

渦電流とIH調理器による加熱の模式図（図表4-6-2）

▶▶ パワー半導体はどこに使用される？

IT調理器とパワー半導体？　少し腑に落ちない方もいるかもしれません。IT調理器にもパワー半導体が必要なわけは、上記の渦電流の説明でも出てきましたが、電磁誘導の際にインバータで家庭の電気（交流50Hzまたは60Hz）を数十kHzの交流電流に変換する必要があるからです。つまり、インバータによる**周波数変換**です。

▶▶ LED照明とパワー半導体

省エネ照明として実用化が進んだ**LED**（Light Emission Diode）照明の場合はどうでしょうか？　この場合は整流器で家庭用の交流を直流に変換し、LEDに必要な電圧に降圧チョッパーで変換してLEDを発光させるので、ここでもパワー半導体

＊ **Foucault**　レオン・フーコー（1819〜1868）。フランスの物理学者。コリオリの力を利用したフーコーの振り子で有名です。これを利用してジャイロスコープも発明しました。

4-6 家電とパワー半導体

が必要ということになります。チョッパーによる昇圧・降圧については前述のように10-3でその原理にふれます。

　なお、このLEDの発光の原理は半導体デバイスのp-n接合を利用するものですが、2章で述べたp-n接合の役割とは異なりますので、簡単に説明しておきます。ここでのp-n接合の役割は図表4-6-3に示すように半導体のp-n接合に電流を流して、電子と正孔が接合部で再結合することにより発光させるものです。直接、電気を光に変えるため変換効率が良く、低電圧、小電力の直流駆動であり、赤外線や紫外線の発光も少なく、小型化や外置きに不可欠な防水構造が容易ということも特徴です。また、低温でも発光効率の低下が少ないというのも大きな特徴です。3-1で述べた整流ダイオードの場合はこのp-n接合でキャリアの流れを抑制することで整流作用を起こしていましたが、LEDの場合はキャリアをp-n接合の両端から注入して、接合部で再結合させることで発光させているわけです。

　半導体デバイスの面白さを理解してもらうために少し説明しました。ついでにいえば、LEDという光半導体を活かすべく、それに必要な電圧に変換するためにパワー半導体が使用されていることになります。半導体の色々な役割を理解する上でも面白いと思います。

LEDの発光原理の模式図（図表4-6-3）

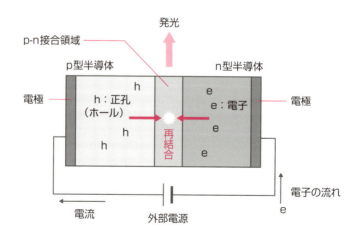

第5章

パワー半導体の分類

この章では今まで述べてきたパワー半導体を一度広く俯瞰する意味で色々な分類をしてみました。パワー半導体の雑知識のようなものも入れました。幕間として読んでください。

5-1
用途で分類したパワー半導体

今までパワー半導体の種類や動作原理、応用市場などを見てきました。第4章で見てきたように応用範囲の広いパワー半導体では、これまで述べてきたように色々な用語があります。この章ではそれらを整理する意味で色々な分類を行ってみたいと思います。また、パワー半導体の性能の目安にもふれてゆきたいと思います。

▶▶ パワー半導体は無接点スイッチ

もう一度、パワー半導体について認識を確認しましょう。パワー半導体は機械式スイッチでは達成できない高速スイッチングを可能とし、それにより「電力の変換」を行うデバイスです。もう少し半導体デバイスとして掘り下げると「小さな電流・電圧により、高速度で大きなオン電流（負荷電流）をオン・オフ動作させることができるもの」といえます。これを模式的に描くと図表5-1-1に示すようになります。

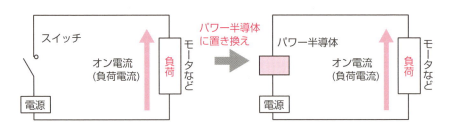

パワー半導体の役割（図表5-1-1）

半導体デバイスですので、機械的な消耗がなく半永久的に動作し、電力損失が小さく、高速でオン・オフする電子スイッチであるといえます。一方、自身で電気エネルギーを蓄積することは不可能です。負荷を動作させるには図表5-1-1には描き切れませんが、制御回路、電力変換回路、保護回路、冷却機能などが必要になります。たとえば、3-3で少しふれましたが、サイリスタではオンからオフにするには転流回路という複雑な制御回路が必要になります。これらをまとめて**パワーエレクトロニクス**という概念でくくります。また、これらをすべて収納した装置を**電力変換装置**

5-1 用途で分類したパワー半導体

といいます。本書ではパワー半導体自体を中心に解説しますので、これらすべてについては一部ふれるだけです。パワーエレクトロニクス全体についての解説は、その分野の本をご覧ください。

▶▶ パワー半導体の広い用途

まずは用途別に見た分類です。パワー半導体の応用範囲は第4章で見たとおりです。ここでは応用分野別の見方でなく、違う見方で見てみましょう。それは負荷が駆動部を有するか、そうでないかという見方です。駆動部を有するものの代表は何でしょうか？ そう、モータです。では駆動部を有しないものの代表は何でしょうか？ それは第4章でふれたUPSなどの電源、更に第11章でふれる予定の太陽電池などの再生可能なエネルギーを主とする電源や従来型の交流電源・直流電源などです。それを図表5-1-2にまとめてみました。第4章で少しふれましたが、モータ系では誘導モータ（交流）の速度調整などに用いますのでインバータ動作が主です。一方、電源系では降圧・昇圧を行うコンバータ動作が主になります。このようなパワー半導体の区分もあります。

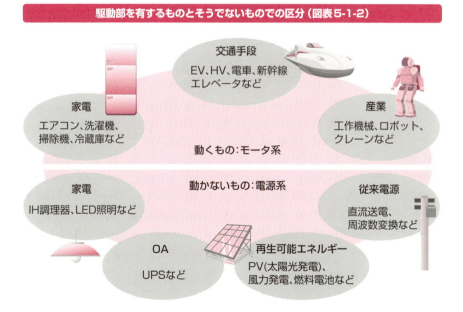

駆動部を有するものとそうでないものでの区分（図表5-1-2）

5-2
材料で分類したパワー半導体

パワー半導体ではシリコンだけでなく、性能向上の面から色々な材料を用いるようになりました。ここでは材料別に見た分類を行いたいと思います。

▶▶ パワー半導体と基板材料

　パワー半導体では基板の物性がストレートにデバイス特性に効いてくるケースが殆どです。というのもLSIのように無数のトランジスタの集積で性能を発揮するというよりはダイオード、トランジスタ、サイリスタといった素子レベルでの性能が効いてくるからです。

　大胆なたとえですが、スポーツ競技でいえば、LSIは団体競技、パワー半導体は個人競技に似た面があります。LSIは素子のデザイン、回路設計や回路の組み合わせなどでの性能向上も見込めます。たとえば、野球やサッカーなどでは、スコアラーやその情報の分析、チームサポート体制の充実も勝利の要因として効いてきます。それに比較するとパワー半導体はそれ自体で性能を極めてゆく必要があります。たとえば格闘技のようなものです。そのために色々な肉体改造もしなければならないというのと同じようなものです。それがパワー半導体は「材料が命」であるということです。これから、第6章や第10章を読み進めるとなるほどと肯くところもあると思います。したがって、LSIとは異なる材料やそれに対する仕様があります。

　個々の材料についての説明は第6章と第10章で行いますが、パワー半導体で使用される材料は現状はシリコンがメインで、シリコンの化合物であるSiC（炭化珪素）の実用化が普及しつつあり、GaN（窒化ガリウム）が実用化を目指して研究開発されています。GaNはGa（ガリウム）がⅢ族の元素で、N（窒素）がⅤ族の元素であることから**Ⅲ-Ⅴ族の化合物半導体**といわれています。対してSiCはⅣ族どうしの化合物半導体といえます。つまり、単元素系か化学物系かで半導体材料を分類すると同じⅣ族ですが、シリコンとSiCは別の分類になります。

　しかし、シリコン系かそうでないかという分類では、シリコンとSiCは同じⅣ族の半導体としてⅢ-Ⅴ族とは分けられるため、この分類ではシリコンとSiCは同じ仲間になります。これを図表5-2-1にまとめてみました。本書では図表5-2-1の(a)の

5-2 材料で分類したパワー半導体

分類を使って以降は述べてゆきます。一方でLSIでは基板材料はシリコンであることには変わりありません。

材料で分類したパワー半導体（図表5-2-1）

(a) 単元素か化合物かの分類

(b) シリコン系か否かで分類

ワイドギャップ半導体の必要性

　何ゆえ、SiCやGaNが求められるでしょうか？　少し難しい話になりますが、固体物性的には耐圧は何で決まるのでしょうか？　絶縁物ならその厚さを厚くすれば良いことは身の回りを見てもわかると思います。しかし、パワー半導体は電気を流したり、切ったりするスイッチの役割をするということをこれまで述べてきました。すなわち問題はスイッチとしての耐圧であるといえます。半導体は導体になったり、絶縁体になったりすると第1章で学びました。このとき、パワー半導体の種類に関わらず、スイッチの役割をするのは、いままで見てきたようにp-n接合です。この

5-2 材料で分類したパワー半導体

p-n接合には電気を運ぶ役割をするキャリア（電子と正孔です）の濃度が少ない部分があります。それを**空乏層**（英語でdepletion layer）といい、p-n接合の近傍では両方（p型の正孔とn型の電子）のキャリアがお互いに拡散して再結合により消滅して形成されます。この空乏層にかかる電圧が耐圧に効いていると考えられます。

それを図表5-2-2にまとめてみました。空乏層の耐圧は半導体の少し難しい言葉ですが**バンドギャップ**（禁制帯）の大きさに比例してきます。バンドギャップについては図表2-1-2を参照してください。したがって、バンドギャップの大きい半導体、すなわち、**ワイドギャップ半導体**が必要になってくるわけです。シリコンのようにバンドギャップが1.1eVの材料では耐圧が今後の応用に対して十分とはいえません。そこで、SiCやGaNなどのような材料が必要になってくるわけです。

固体物性的に見たp-n接合の耐圧（図表5-2-2）

(a) p-n接合が形成された瞬間

注：実際には瞬間的に(b)になる

p-n接合

| n型 | p型 |

(b) 熱平衡状態のp-n接合

空乏層が形成される　　　　　　　　　　　空乏層

| n型 | p型 |

耐圧はp-n接合で決まる一面がある。

注：空乏層ではn型、p型シリコンの多数キャリアが再結合するので、キャリア濃度が低い状態になっている。

5-3 構造・原理で分類したパワー半導体

　第3章と重複する部分もあるかと思いますが、より整理しておく意味で構造・機能別に見た分類をしてみたいと思います。少し形式的な話と感じられるかもしれませんが、きちんと押さえて本質に迫りたいところです。

▶▶ キャリアの種類での分類

　まずは大きく分けてバイポーラ系のものとMOS系で分類されます。第2章でもふれましたが、電気を運ぶ**キャリア**（carrier；キャリアバッグのキャリアなどと同じ語）の極性は正と負のふたつがあります。バイポーラトランジスタでは負電荷の電子と正電荷の正孔の両方のキャリアを使用するので、こう呼ばれます。対して、パワーMOSFETでは電子しか用いません*ので、**ユニポーラ型**ともいいます。しかし、この用語はあくまで**バイポーラ型**に対しての比較に用いられるようで、通常は**MOS型**といわれます。ここではわかりやすさを優先して図表5-3-1のように分類します。ダイオードの場合は、ここではユニポーラ型に入れておきます。IGBTの場合はMOSFETの動作とバイポーラトランジスタの動作を利用するので難しいところですが、ここではバイポーラ型に含めておきます。

キャリアの種類の数で分類したパワー半導体（図表5-3-1）

- パワー半導体
  - ユニポーラ系
    - MOSFET
    - ダイオード
  - バイポーラ系
    - バイポーラトランジスタ
    - サイリスタ
    - IGBT

＊…電子しか用いません　パワーMOSFETでは高速性や駆動性を重視するので、いわゆる移動度が高い電子をキャリアとして用いるnチャネルトランジスタとなる。MOSトランジスタには正孔をキャリアとして用いるpチャネルトランジスタもある。2-9で述べたようにLSIでは両方用いる。

接合の数での分類

　まずは大きく分けてバイポーラ系のものとMOSFET系で分類し、その中で接合の数で分類するのがわかりやすいと思います。

　ひとつの接合しかないのがp-n接合ダイオードです。バイポーラトランジスタとMOSFETの接合は少し意味が違う接合の構造（接合の重ね合わせがないという意味です。それを図表5-3-2に示します）ですが、ここでは二接合のデバイスに分類しておきます。IGBTの場合、本質は3-5で説明したようにバイポーラトランジスタとMOSFETの組み合わせなので、ここでは多接合のデバイスに分類しておきます。サイリスタは第2章で説明したように三接合のデバイスです。接合の数が多いほど、色々な複雑なスイッチング作用ができることはこれまでの話でも理解できると思います。ただ、その分、外部の制御回路が必要になる場合もあります。3-1でダイオードを用いた整流作用を説明しましたが、ダイオードの場合は特に制御回路を入れなくても電流の向きでオン・オフします。これを**非可制御素子**といいます。これに対して、サイリスタやトランジスタのように外部回路で制御するものを**可制御素子**といいます。これまで述べたことを図表5-3-3にまとめておきます。

バイポーラ型とMOS型の接合の比較（図表5-3-2）

(a) バイポーラトランジスタの接合

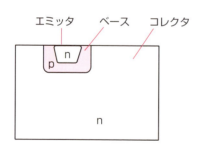

(b) MOSFETの接合

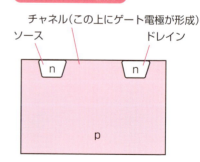

注）バイポーラトランジスタの場合は接合が積層状に形成されている。

5-3 構造・原理で分類したパワー半導体

なお、前述の「接合の重ね合わせ」について説明しておきますと、前述のようにバイポーラトランジスタとMOSFETの接合は少し意味が違う接合の構造になっています。これはどういう意味かといいますと、両方とも動作の原理を説明する際にはモデル的に描くと図表2-5-2（バイポーラ型トランジスタ）や図表2-6-3（MOS型トランジスタ）のようにn型p型n型と並んでいるように描きました。

しかし、実際のバイポーラトランジスタの場合には、図表5-3-2の（a）に示すようにn型の中にp型との接合面があり、更にそのp型の中に別のn型との接合面があります。これを接合の「重ね合わせ」といいます。

それに対して、MOSFETの場合は、図表5-3-2の（b）のようにp型の中にふたつのn型との接合面がありますが、いわゆるバイポーラトランジスタのような接合の重ね合わせはありません。これがバイポーラトランジスタとMOSFETの接合の形成法の違いです。特に（a）のバイポーラトランジスタのベース層は、図ではわかりやすくするために、ある程度の厚さで描かれていますが、実際は比較的薄い領域です。

接合の数で分類したパワー半導体（図表5-3-3）

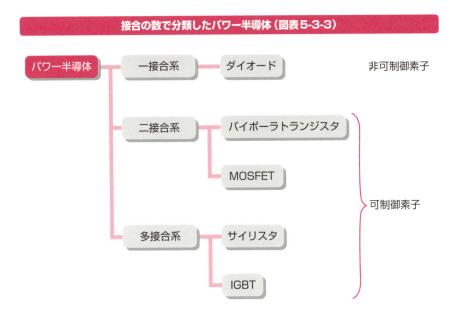

5-3 構造・原理で分類したパワー半導体

▶▶ 端子数や構造での分類

　外部端子の数での分類もあります。たとえば、ダイオードでは二端子デバイスになります。推測が付くと思いますが、p-n接合の数が増えるほど端子の数が増えてゆきます。しかし、デバイスの制御上、多くても三端子のデバイスにしています。たとえば、サイリスタは三接合デバイスですが、三端子デバイスですし、IGBTも三端子デバイスです。それを図表5-3-4に示しておきます。

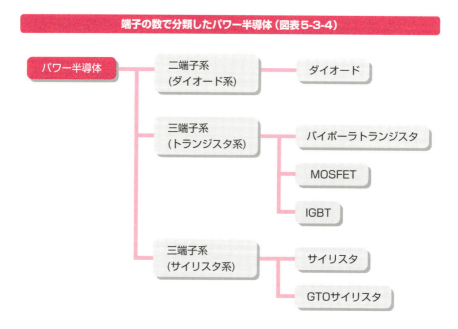

端子の数で分類したパワー半導体（図表5-3-4）

5-4 容量で見たパワー半導体

この節では他の章に入らないような内容を書いておきたいと思います。パワー半導体の雑学一覧として気楽に読んでください。

▶▶ パワー半導体の定格とは？

パワー半導体は電力変換用の半導体であると説明してきました。場合によっては、高電圧が印加され、大電流を制御するデバイスになります。ご存知のように、電力＝電流×電圧です。数式では電力（P）と電流（I）、電圧（V）の関係は、

$$P = I \times V$$

になります。

そこで、パワー半導体で電力変換する際に、どれくらいの電流が流せるかということとどれくらいの電圧まで印加できるかが性能の鍵になります。そこでパワー半導体の場合は**定格**ということで、必ずカタログなどに書いてあります。図表5-4-1にIGBTの例を示しておきますが、通常ならカタログの最初のほうに最大流せるコレクタ電流I_cとコレクタ～エミッタ間に印加できる電圧V_{ces}（Sは飽和を意味するsaturationの略）として出ています。ここでは例としてI_cとV_{ces}を挙げましたが、他にも色々な数値が出てきます。ぜひ、パワー半導体のカタログをご覧になってください。もちろん、この範囲内が安全に動作可能な領域ということになります。

通常は220V電源や440V電源に対応できる600Vや1,200Vが一般的な定格です。もちろん鉄道や送電の変電所など扱う電圧の高いものは更に大きくなります。電流はここでは100Aの例を示しましたが、1kA以上のものまで色々な定格電流があります。

▶▶ パワー半導体の電流容量と耐圧

このように電源の標準電圧は決まっています。図表5-4-2には我が国での**JEC**＊で定めている電源電圧の標準を示しました。当然、大電圧向けのパワー半導体はそれだけの耐圧が必要になるということです。これも頭に入れておくと第4章や第11

＊ **JEC** 社団法人電気学会の電気規格調査会の英語表記。Japanese Electrotechnical Committeeの略。種々の標準規格を決めている。なお国際規格はIECとなる。Iはもちろん、Internationalの略である。

5-4 容量で見たパワー半導体

章で扱うパワー半導体の応用が実感できると思います。JECでは色々な規格がありますので、ご興味のある方はJECのホームページをご覧ください。

パワー半導体の定格の例（図表5-4-1）

記号	項目	条件	定格値	単位
I_C	コレクタ電流	測定時の温度やパルス条件など	100	A
V_{ces}	コレクタ～エミッタ間電圧	測定条件など　例 G-E間短絡[注]	600	V

注）Gはゲート、Eはエミッタのことである。
出典：各パワー半導体メーカのカタログを元に作成

標準電圧のJEC規格（図表5-4-2）

	種類	電圧
家庭用	単相／三相	100V、200V
小工場用	三相	200V、400V
ビル、工場用	三相	3.3kV、6.6kV
大工場、大容量設備	三相	11kV、22kV、33kV～

出典：JEC-0102(2004)より

第6章

パワー半導体用シリコンウェーハ

この章ではパワー半導体の基板材料になるシリコンを取り上げ、その材料としての特徴や課題、ウェーハの作製法などをMOS LSI用のシリコンと比較して述べます。

6-1
シリコンウェーハとは？

ここではパワー半導体で使用されるシリコン単結晶とシリコンウェーハについて説明します。シリコン以外の材料については第10章でふれます。

▶▶ シリコンの品質が鍵のパワー半導体

　この節ではシリコンと**シリコンウェーハ***について詳しく説明したいと思います。なぜなら、誤解を恐れずにいわせてもらえば、パワー半導体は「シリコンウェーハの品質に大きく依存する」からです。それでは先端LSIのMOSロジックやMOSメモリのシリコンウェーハの品質は問題ないのかというとそうではありません。あくまで相対的な比較ですので、留意してください。このことを頭に入れて以降を読んでもらいたいと思います。

　まず、シリコン（元素記号：Si）ですが、図表6-1-1の短周期律表に示すようにⅣ族の元素です。同じ仲間には炭素（元素記号：C）やゲルマニウム（元素記号：Ge）があります。

短周期律表内でのシリコン（図表6-1-1）

Ⅰ	Ⅱ	Ⅲ	Ⅳ	Ⅴ	Ⅵ	Ⅶ	Ⅷ
H							He
Li	Be	B	C	N	O	F	Ne
Na	Mg	Al	Si	P	S	Cl	Ar
K	Ca	Ga	Ge	As	Se	Br	Kr

　それではこのようなシリコン単結晶をどのようにして作るかですが、その前にこれまでの流れの話をしたいと思います。現在は半導体の材料としてシリコンが一般的ですが、初期段階からシリコンだったわけではありません。当初は2-7に述べたようにゲルマニウムというシリコンと同じⅣ族の元素が使用されていました。なぜ、シリコンに替わったのかというと簡単にいえば、シリコンは地表中に非常に多く存

---

* **ウェーハ**　スライスなどと呼ぶケースもある。ハムをスライスするなどという場合と同じ語源です。このように半導体産業は米国で始まったので英語の呼称が多い。

6-1 シリコンウェーハとは？

在する元素（**クラーク数**＊という指標があります）であり、更にその酸化膜が安定しているということです。

▶▶ シリコンウェーハとは？

シリコンウェーハの形状＊の写真を図表6-1-2に示します。このようにウェーハは円形です。なおウェーハの口径や厚さはSEMI＊の規格で決まっています。

本書ではウェーハの口径をインチで表すことにします。当初はインチで表していましたが、その後5インチ以上はmm単位で表すことになりました。しかし、これまでの慣行で業界紙や新聞などではインチで表していることも多いので、混乱を避けるためにインチ表示を使います。つまり、5インチは125mmウェーハに、6インチは150mmウェーハ、8インチは200mmウェーハに相当します。

ウェーハ（英語ではwafer）の表記も色々ですが、混乱を避けるため本書ではウェーハと書いておきます。なお、ウェーハはアイスクリームなどについている薄いビスケット状の食べ物のこともいいますね。

実際のシリコンウェーハの写真（著者による）（図表6-1-2）

注）左側の白い部分はウェーハ表面がミラーポリッシュ（7-6参照）されているため、天井の蛍光灯が映り込んだもの。

＊**クラーク数** 地表に存在する元素の割合の指標であり、シリコンは酸素に次いで2番目に多いといわれている。
＊**ウェーハの形状** シリコン半導体で使用されるものは円形。結晶系の太陽電池では四角形や四角形の頂点を切り落とした形状が用いられる場合がある。
＊**SEMI** 日本支部のホームページは www.semi.org/jp

6-1 シリコンウェーハとは？

▶▶ まずは高純度の多結晶シリコン

シリコンは地表に多く存在すると述べましたが、シリコンという形ではなく、珪石というシリコンの酸化物の形で存在します。なぜならば、シリコンは酸化しやすく、酸化物の方が安定に存在するからです。シリコンウェーハの製造はその珪石を採掘して、それを炭素還元して金属シリコンにし、それを精製して、シリコンの多結晶にすることからスタートします。このシリコンの多結晶を**イレブン・ナイン**といわれる（99.999999999％と9が11桁並ぶことからそういわれます）純度の高いものにするわけです。多結晶とはひとつの物体の中に色々な単結晶が粒界を介してつながっているものをいいます。単結晶とはもちろん、ひとつの物体が同じ方位を持った結晶で連続しているものをいいます。

図表6-1-3にシリコン多結晶の作製のフローを模式的に示します。この方法は**Siemens（ジーメンス）法**と呼ばれ、ドイツのSiemens社＊で開発されたものです。まず、金属シリコンを流動層反応（約300℃）を用いて、トリクロロシラン（化学式：$SiHCl_3$）というガスにして、それを蒸留塔を用いて精製します。これをSiemens炉と呼ばれる、シリコン芯（細いシリコン棒）に電気を流して加熱し多結晶シリコンを析出させる炉に入れて、水素還元を用いてトリクロロシランを多結晶シリコンに還元します。ガスにすることで、気密性の高いタンク内で不純物の混入を抑えて高純度の細いシリコン棒に時間をかけて堆積させます。この方法で高純度の多結晶シリコンロッドが得られます。

多結晶シリコンの作り方の模式図（図表6-1-3）

珪石（SiO_2）　→炭素還元→　金属シリコン　→流動層反応→　シリコン系ガス　→水素還元→　多結晶シリコンロッド

注）Siemens法といわれる方法。

＊Siemens社　英語読みでシーメンスと表記するドイツの世界的な重電メーカ。

6-2
シリコンウェーハの作製法の違い

ここから実際のシリコンウェーハの作製法について説明します。パワー半導体では一般に使用されているウェーハと異なる作製法があります。

▶▶ シリコンウェーハ作製法はふたつある

次にシリコン単結晶の作り方を説明します。大きく分類して**チョクラルスキー(Czochralski)法***と**フローティングゾーン法**がありますが、現在LSIに使用されるシリコンウェーハは、殆ど前者の方法で作製されます。

それに対して、フローティングゾーン法はパワー半導体用のウェーハに用いられます。その理由のひとつは、前者がウェーハの**大口径化**が必須で、後者はそのニーズが少ないからです。それではこのようなシリコン単結晶をどのようにして作るかですが、出発材料は両者とも6-1で説明した**高純度多結晶シリコン**です。我が国ではトクヤマが主なメーカです。

▶▶ チョクラルスキー法

チョクラルスキー法は図表6-2-1に示しますように**結晶方位**が揃った**種結晶**を前述の高純度の多結晶シリコンを溶融させた液に浸し、種結晶と結晶方位の揃った固液界面でシリコン結晶を成長させながら、ゆっくり引き上げます。そのため、**引き上げ法**とも呼ばれます。この後ワイヤソーという特殊な鋸(のこぎり)でシリコンウェーハに切り出します(製法上、両端にコーン部とテール部が生じます)。

シリコンそのものは**真性半導体***なので、キャリアとなる不純物は多結晶シリコンを溶融する際に必要なだけ添加します。参考までにチョクラルスキー法によるウェーハ径の推移を図表6-2-2に示します。既に12インチウェーハが実用化されています。この方法は石英坩堝(るつぼ)の中に高純度多結晶シリコンを高温で溶解させるので、石英坩堝から酸素の溶出があり、微量の酸素がシリコンウェーハ中に含まれてしまいますが、半導体デバイス上問題になるレベルではありません。また、石英坩堝の大きさや回転数、引き上げ速度などの調整により、大口径化も可能になります。

***チョクラルスキー**　人名　ポーランド出身。彼がシリコン単結晶の作製法を考えたわけではなく、彼の方法をシリコンに応用した。

***真性半導体**　一定のキャリア密度を有するが、半導体デバイスとして使用するにはキャリア密度が少ない半導体(2-1参照)。

▶▶ フローティングゾーン法

　一方、フローティングゾーン（Floating Zone）法はベル研で開発されたゾーンメルティング法を元に1950～60年代にかけて、Siemens社、Dow Corning社、GE社などが開発を進めてきました。これは原料の高純度多結晶シリコンを棒状にして、その先に結晶方位の揃った種結晶を付けて、その部分の多結晶ポリシリコンの一部をその外周に設けたRFコイルによる誘導過熱によって溶融し、その溶融部分を時間をかけて高純度多結晶シリコン全体にわたり移動させて種結晶と同じ方位の単結晶化を行う方法です。それを図表6-2-3に示します。もちろんこの後シリコンウェーハに切り出します。

　チョクラルスキー法のように石英坩堝を使用しないので、酸素や重金属の混入が少ないのがメリットですが、推測が付くかと思いますが、RFコイルで直径方向全体に加熱するという製法上、ウェーハの大口径化には向きません。したがって、CMOSやメモリ用のウェーハではなく、パワー半導体用のウェーハが主流です。前者を頭文字から**CZ法**、後者を**FZ法**と呼ぶこともあります。本書でもこの表記を用いてゆくことにします。前述のようにGEとかSiemensとか世界的な電機メーカが、当初はシリコン単結晶の開発に当たっていました。我が国でも同じように大手電機メーカが半導体産業のさきがけになりました。FZ法について更に詳しくは次節で見てゆきましょう。

CZ法によるシリコンウェーハの作り方の模式図（図表6-2-1）

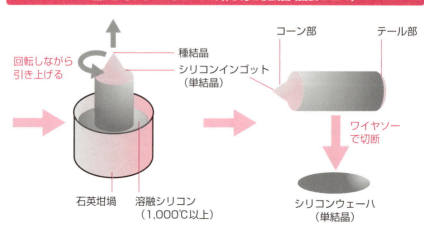

6-2 シリコンウェーハの作製法の違い

CZ法によるシリコンウェーハ径の変遷（図表6-2-2）

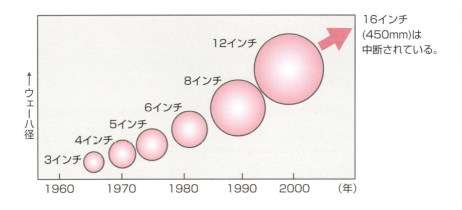

16インチ(450mm)は中断されている。

FZ法によるシリコンウェーハの作り方の模式図（図表6-2-3）

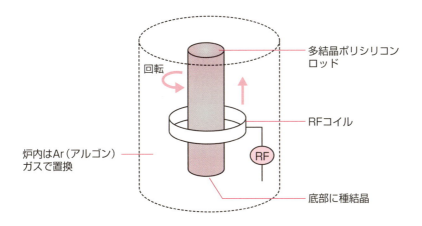

　なお、誤解のないように記しておきますが、パワー半導体でFZウェーハの使用が多いというのはあくまで相対的に見た場合であり、パワー半導体でも低耐圧品ではCZウェーハも使用されています。

6-3

FZ結晶の特徴

ここではFZ法によるシリコンウェーハの作製法について更に詳しく説明します。

▶▶ 実際のFZシリコン結晶の作製法

　図表6-2-3より更に詳細な図を図表6-3-1に示します。前節で説明したように多結晶シリコンのロッドを炉内に入れて、炉内はアルゴン（Ar）ガスで置換します。ここで、ロッドを回転させながら、ロッド外周に設置されたRFコイルをゆっくり引き上げてゆきます。図では便宜上、多結晶シリコンロッドが下に移動するような形で描いてありますので留意してください。このRFコイルによる誘導加熱でロッドの先端が溶融したら、その下端に図表6-3-1（A）のように種結晶（シード：seed）を付けます。これにより結晶方位が種結晶と同じものになります。その後、図表6-3-1（B）のように転位＊を逃がすために**ネッキング**（necking）と呼ばれる絞りを入れます。これは図表6-2-1では省略しましたが、CZ法でも行い、それをDash Neckingといいます。Dashは人名でGEの技術者です。その後、コイルの誘導加熱で多結晶シリコンが溶融して、図表6-3-1の（C）のように単結晶化してゆきます。この場合、移動速度やRF出力の調整でウェーハ直径を制御します。

　このメリットは、

> ①石英坩堝を使用しないので、酸素濃度を低くすることができる
> ②高抵抗で高純度のウェーハを作ることができる

という点です。ただ、常にロッドの一部だけを高温にしていますので、熱による歪が大きくなり、単結晶内の転位密度がCZ法に比較すると高くなるといわれています。

▶▶ FZ結晶の大口径化

　FZ法によるシリコンウェーハの作製は現在8インチ径のウェーハまでが行われている状態です。歴史的には2インチまでが1970年代後半、3インチ化は1980年代後半、4インチ化が1990年代後半、6インチ化が2000年代に入り始まっています。参考までにウェーハ径の推移を図表6-3-2に示してみました。CZ法による

＊転位　一言でいうと結晶格子の「ずれ」のようなものです。

6-3 FZ結晶の特徴

シリコンウェーハは6-2でも述べましたが、12インチ（300mm）化が1990年代後半には始まっていますので、ウェーハの口径に関してはだいぶ異なることがわかると思います。因みに筆者は1.5～2インチのウェーハは見たことはあるだけで、初めて自分で使用したウェーハは3インチでした。3インチから5インチへコンバージョンをした経験がありますが、ウェーハが倍近く大きくなったのでびっくりした覚えがあり、実際にピンセットでつかみにくかったことを記憶しています。

FZ法によるシリコンウェーハの作り方の模式図その2（図表6-3-1）

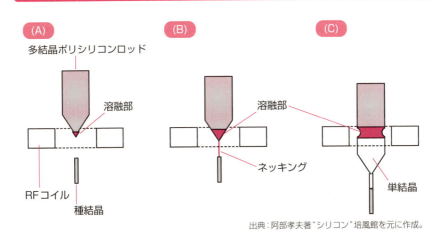

出典：阿部孝夫著"シリコン"培風館を元に作成。

FZ法によるシリコンウェーハ径の変遷（図表6-3-2）

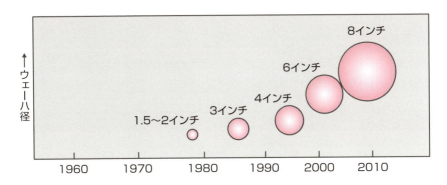

6-4 なぜFZ結晶が必要か？

ここではパワー半導体用は、なぜFZウェーハが用いられるかについて解説します。それには偏析という現象が鍵になります。

▶▶ 偏析とは？

CZ法ではシリコン単結晶を引き上げるときに**偏析**という現象が起こります。偏析とはシリコン単結晶を引き上げる際、結晶中に取り込まれる不純物濃度は不純物の種類によってある一定の比率になります。しかし、結晶中に取り込まれなかった不純物が固液界面で高濃度層を作ります。それが、残った液相での不純物濃度を更に増加させるために、シリコン単結晶の成長方向に不純物の濃度分布ができます。この現象のことを偏析といいます。固液界面での結晶成長の欠点ともいえます。

図表6-4-1の左側に示すように、ある一定の温度で見た場合、液相の方が固相より不純物濃度が高くなることを示しています。したがって、CZ法で引き上げたシリコンインゴットの中では図表6-4-1の右側に示すように不純物の濃度が成長方向で変わってきます。図中の抵抗率は、不純物濃度と反比例の関係になります。

CZ法によるシリコン単結晶の偏析のモデル（図表6-4-1）

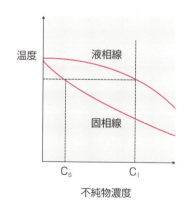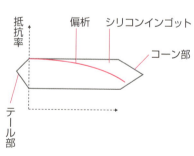

注）図表6-2-1と比較してみていただきたいが、コーン部→テール部の順で成長してゆく。

118

これにより、シリコンウェーハに切り出した際に、切り出した場所で不純物濃度が変わってくるため、ウェーハの仕様としては、不純物濃度（電気的な特性としては図表6-4-1のように**抵抗率**で表されます）をある範囲に収めるという形になります。もっとも、現在、シリコンウェーハを製造する際に使用されるn型不純物であるP（リン）、p型不純物であるB（ボロン）は他のV族、Ⅲ族の元素に比較して、この偏析が少ない元素であることを記しておきます。なお、図表6-1-1にこれらの不純物元素を色分けして示しておきました。

不純物を添加すると書きましたが、この不純物はシリコンと異なる元素という意味で不純物と称しているだけであり、当然余計な元素が入っては困りますから、「高純度の不純物」ということになります。念のために書いておきました。ついでながら、6-2に記したようにウェーハには酸素も混入します。これは多結晶シリコンを溶融するのが石英坩堝（るつぼ）の中なので石英の酸素が多少溶け出すためといわれています。

このようにして、n型、p型のシリコンウェーハという製品がシリコンウェーハメーカから半導体メーカに納入され、半導体デバイスが製造されるわけです。

不純物濃度制御に関するFZ法のメリット

これに対して、FZ法は前記したように全体を液相にして、固液界面で結晶を成長させるわけではないので、この偏析がありません。

更に技術の進歩で、

①ガスドーピング法
②中性子照射（NTD）法

などの新しい不純物添加法が用いられるようになり、更に不純物濃度の均一性が向上しました。①のガスドーピング法は図表6-4-2に示すように、多結晶シリコンロッドをRFコイルで加熱して、単結晶化している部分にドーピング用のガス（PH_3：ホスフィン，B_2H_6：ジボラン）を吹き付けて単結晶成長時にin situにドーピングする方法です。②の中性子照射法は、中性子を照射することで、下記（式）の核反応を起こさせ

$$^{30}Si \longrightarrow {}^{31}Si \longrightarrow {}^{31}P$$

シリコンをn型の不純物のP（リン）に変換する方法です。n型のウェーハに用いら

れます。パワー半導体では、第3章でも述べたようにウェーハの厚さ方向全体を使用するので、不純物濃度の均一性の良いFZ法が用いられるわけです。

▶▶ FZシリコンウェーハの課題

　ここではFZ法によるシリコンウェーハの課題についてふれておきます。FZ法では多結晶シリコン全体を溶融することなしに一部だけ溶融して単結晶化しますので、CZ法に比較して原料である多結晶シリコンへの要求が厳しいということがあります。つまり、CZ法では全体を溶融させるので、品質が全体的に均されますが、FZ法では一部分を溶融しながら、単結晶化してゆくので全体的に均一の品質が多結晶シリコンに要求されます。これは製造コストに効いてきます。更に繰り返しになりますが、大口径化が難しいという課題があります。

▶▶ 大口径化はどこまで進んでいるか？

　シリコンウェーハを使用したパワー半導体は当初は6-3にも書いたように1.5～2インチの時代もありました。まだ、それくらいの口径のシリコンウェーハしか生産できない時代があったわけです。

　半導体産業の原理では、1枚のウェーハになるべく多くのチップを作ることがコスト低減になりますので、そのためには、大口径のウェーハを使用して、多くのチップを作れる方が有利です。ただ、その度合いはMOSメモリやMOSロジックとは異なります。チップの大きさは、パワー半導体の中にはウェーハ1枚で1チップというようなケースもあります。8インチまでは市場に供給されていますが、それ以上の大口径化は今後の課題です。

ガスドーピング法の模式図（図表6-4-2）

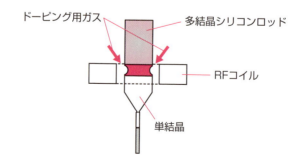

6-5

シリコンの限界とは？

最後にパワー半導体材料としてのシリコンの限界を見てみましょう。

▶▶ シリコンの限界

　半導体デバイスでいちばん使用されている基板材料はシリコンです。今後ともシリコンのシェアはいちばんだろうと思いますが、パワー半導体では5-2でも若干ふれましたように新しい材料が望まれています。

　だいぶ前の話ですが、論理回路の高速化を達成するためには化合物半導体に比べてキャリア移動度＊が低いシリコンでは難しいと化合物半導体などを中心としたHEMTなどへの期待がありました。しかし、微細加工技術の進展に伴う高集積化技術も発展したことから、現状の先端MOS LSIではシリコンが主流です。パワー半導体でもシリコンの時代が続いてきたのは、これまで述べてきたとおりです。

　ところで3-6で説明したパワー半導体の課題であるオン抵抗と耐圧の関係に戻ります。個々のパワー半導体、特にMOSFET構造ではこのふたつの両立が困難なことを説明しました。

▶▶ シリコンでは原理的に耐圧は限界

　一方でパワー半導体では高速でスイッチングし、なおかつ、電力容量が大きいデバイスが望まれています。高速化と電力容量の増加にはオン抵抗の低減と耐圧の向上が欠かせません。しかし、オン抵抗と耐圧は図表6-5-1に示すようにトレードオフの関係にあり、両立は困難です。一方で第10章でも述べるようにシリコンの絶縁耐圧に比較して、ワイドギャップ半導体であるSiCやGaNは約10倍あります。したがって、図表6-5-2にシリコンと併せて模式的に描いたようにオン抵抗と耐圧のトレードオフ関係は変わりませんが、同じ耐圧ならオン抵抗を低減できるので、材料的なシリコンの限界は突破できるとしてSiCやGaNを用いたFETを作り、それをインバータに応用する開発が始まっています。

＊**キャリア移動度**　図表2-2-1の注）を参照。

6-5 シリコンの限界とは？

これらは第10章で具体的にふれてゆきます。もちろん、SiCやGaNには材料上や製造コスト上の課題も色々ありますが、それらにもふれてゆきます。

最後に誤解のないように記しておきますが、シリコンがパワー半導体からなくなるわけではありません。シリコンで十分なものはシリコンで済まされると思います。よりハイエンドを目指すものがSiCやGaNに置き換わってゆくと捉えてください。

耐圧とオン抵抗のトレードオフ（図表6-5-1）

材料による耐圧とオン抵抗のトレードオフの比較（図表6-5-2）

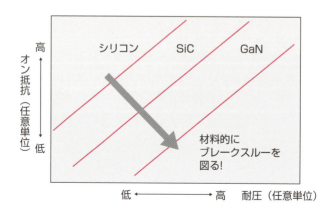

第7章

パワー半導体プロセスの特徴

この章ではパワー半導体の製造プロセスの前工程（ウェーハプロセス）を、特にMOS LSIプロセスとの比較をとおして見てゆきます。両者ではトランジスタの構造が異なるためにプロセスも異なってきます。また、後工程（組み立て工程）の独自の特徴についてもふれます。

7-1 パワー半導体とMOS LSIの違い

各プロセスに入る前にパワー半導体と、現在先端半導体の主流になっているMOS LSIやそれに使用されるMOSトランジスタの違いを知っておきましょう。

▶▶ パワー半導体はウェーハ全体を使う肉体派？

　MOS LSIもパワー半導体も原理的にはシリコンウェーハ上にたくさんチップを作る方式に変わりありませんが、パワー半導体の中には1枚のウェーハが1チップになるという例もあります。このようにパワー半導体とMOS LSIでは色々と異なる点があります。その違いの中で、いちばんに知っておいていただきたい点を強調しておきましょう。

　両者ともトランジスタの原理的な動作に関しては同じですが、LSIに用いられるMOSトランジスタは信号の伝達をオン・オフで行うものであり、低電圧において微小電流でスイッチングするものですので、トランジスタの仕様が全く違ってきます。1-6でもふれましたがMOSトランジスタは、図表7-1-1に示すような横型構造のものが使用されます。この構造は図の水平方向に電流が流れるタイプです。電流を大きくするには図の奥行き方向にもキャリアのパス（チャネル幅）を広げるしかありません。これに対して、パワーMOSFETの場合は1-6で説明したように縦型で、ウェーハの縦方向に電流を流します。ウェーハの厚み全体を使用するといっても良いかもしれません。したがって、MOSFETの面積を大きくすることで大きな電流を流すことも可能です。

横型MOSFETの構造の断面模式図（図表7-1-1）

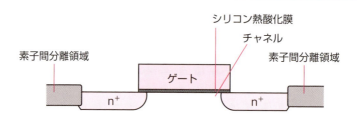

7-1 パワー半導体とMOS LSIの違い

▶▶ 先端ロジックは逆にウェーハの上に積層する

　これに対して、MOS LSIでは横型MOSトランジスタを使用するため電流が流れるのは、シリコンウェーハ表面のごく一部です。しかし、先端MOSロジックでは色々な回路検証*ができた回路ブロックを組み合わせるためにそれらを結合する多層配線プロセスが主流になります。したがって、CMOS*先端ロジックの場合はむしろ、ウェーハの上に配線層を積層する形になります。これを図表7-1-2に示してみました。

先端CMOSロジックの断面の模式図（図表7-1-2）

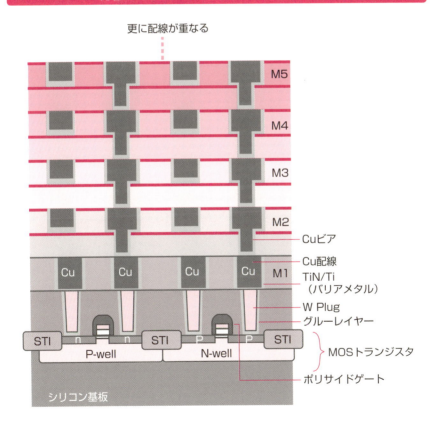

---

* **回路検証**　動作が確認されて回路検証ができた回路ブロックはコアとかIPとか呼ばれる。IPとはIntellectual Propertyの略で、ここでは知的財産権を保護されている回路ブロックと考えて良い。
* **CMOS**　Complementary Metal Semiconductor Oxideの略でn型、p型トランジスタがそれぞれの負荷になるように形成され、省電力化が図れる。2-9も参照のこと。

7-1 パワー半導体とMOS LSIの違い

　この図は先端MOSロジックLSIとの違いをイメージで理解していただくために参考までに挙げたものですが、トランジスタ形成プロセスより多層配線プロセスが多いことが直感的にわかると思います。

　そのため多層配線プロセスをバックエンドと称しているくらいです。ゴルフの1ラウンドはフロントエンドもバックエンドも同じ9ホールですが、MOS LSIではバックエンドの方が長いといえます。

▶▶ 電流を流すための構造の違い

　これまでは断面で見てきましたが、ロジックに使用されるMOSトランジスタとパワーMOSFETは二次元（平面）から見ても構造が違います。これについては1-6でもふれましたが、図表7-1-3に再提示します。前者の場合はゲートでソースとドレインを区切るような配置になりますが、後者の場合はゲート電極を囲むような形でソース電極が形成されていることがわかります。それだけ、電流のパスが広がり、大きな電流を流せる（実際にはウェーハ底部のドレイン電極まで流れます）ことがわかります。一口にMOSといってもその奥が深いことをわかっていただけたでしょうか？　このためパワー半導体ではMOS LSIには出てこないプロセスがあります。

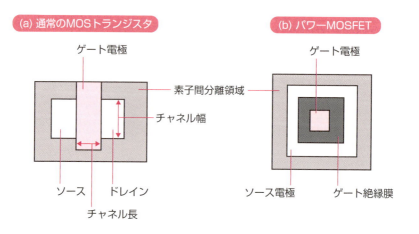

パワーMOSFETと通常のMOSFETの違い（平面図）（図表7-1-3）

7-1 パワー半導体とMOS LSIの違い

▶▶ トランジスタ構造を縦に見る

次に三次元的（図は便宜上断面図）に見てみます。

繰り返しになりますが、パワーMOSFETの場合は大きな電流を流す必要がありますし、耐圧も必要なので図表7-1-4に示すような縦型の構造を採用するのが普通で、これは拡散層を二重にした**縦型二重拡散型**と呼ばれるものです。英語ではVertical Diffusion MOSFETと称し、略して**VD-MOSFET**と呼ばれます。ここでゲート電圧が印加され、図表のゲート電極の下のp層が反転して、チャネルが形成され、FETがオンすることになります。

VD型パワーMOSFETの模式図（図表7-1-4）

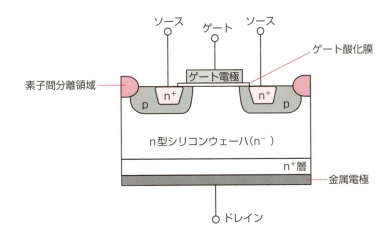

以上、述べてきたようにパワー半導体のMOSFETは、LSIのMOSトランジスタと構造が大きく異なります。そのため、独自のプロセスが必要になります。次節で構造の違いについてもう少しふれて7-3以降では個々のプロセスについて述べます。

7-2 構造の工夫

パワー半導体ではオン抵抗と耐圧の両立を必要とするために特殊な構造が必要です。また、それを達成するためのプロセスが必要になってきます。

▶▶ MOSFETの色々な構造

前節でパワー半導体に使用されるMOSトランジスタ（以降、MOSFET）の違いを述べました。それ以外の違いを見てゆきます。高速動作に利用されてきたMOSFETですが、応用範囲が増えるにつれ、色々な構造のものが出てきました。これも全部紹介していたらきりがないのでいくつかの例を説明します。たとえば、**オン抵抗**を低減したうえ、より耐圧を取る構造として図表7-2-1のようなチャネル部に溝を形成した構造もあります。3-6で述べたようにオン抵抗の低減と耐圧の向上の両立は難しいのですが、オン抵抗を低減させるには図のn^+層の濃度を高くして厚さを減らせば良いのですが、そうすると逆に耐圧が低下します。そのためV字の溝で実質的にn^+層の厚さを増加させて、オン抵抗の低減と耐圧の向上の両立を図ろうというわけです。しかし、V字形の溝の先端に電界が集中して、かえって耐圧が低下するということでそれを避けるために図表7-2-2に示すようにU字形の溝にした構造もあります。このようにパワーMOSFETでオン抵抗と耐圧を向上させる工夫が考案されてきました。

パワーMOSFETの例—V-Groove型（図表7-2-1）

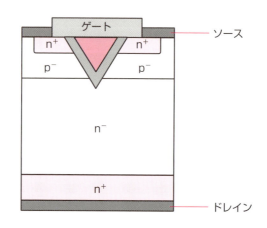

7-2 構造の工夫

パワーMOSFETの例—U-Groove型（図表7-2-2）

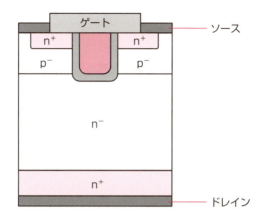

▶▶ V字形溝の形成法

　V溝の形成はシリコンの結晶面の違いによる**異方性エッチング**を用います。これは図表7-2-3に示すようにシリコンをアルカリ性溶液、たとえば、水酸化カリウム（KOH）でエッチングしますと（100）面のエッチング速度が（111）に比較して、大きいことを利用するものです。結果として（111）面がV字溝として残るわけです。マスクは図示したようにシリコン酸化膜（SiO_2）などを用います。

　シリコンの結晶面による異方性エッチングは一般のMOSプロセスで用いられることはないですが、最近はシリコンMEMS＊の分野で用いられることがあります。

シリコンの結晶面による異方性エッチング（図表7-2-3）

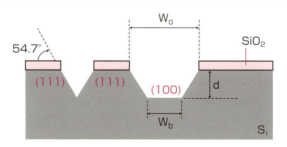

$$W_b = W_o - \sqrt{2}d$$

＊MEMS　13ページを参照。

第7章　パワー半導体プロセスの特徴

▶▶ U字形溝の形成法

　V字形溝では、前記のように先端に電界が集中しやすく、それを防ぐためにU字形溝を用いる場合があります。この場合はシリコンのドライエッチングを用います。通常は**反応性イオンエッチング**（Reactive Ion Etching：**RIE**と略します）を用います。MOS LSIプロセスでも素子間分離のシャロー・トレンチ・アイソレーション（Shallow Trench Isolation：STIと略します）を用いる場合があるので、よく知られたプロセスですが、一応図示しておきます。この場合は図表7-2-4に示すようにレジストマスクで塩素系やフッ素系のガスを用いてエッチングします。

　素子間分離領域とは、各素子（トランジスタ）間の干渉を避けるためウェーハ中に厚いシリコン酸化膜を形成したものです。身近なものにたとえると田んぼのあぜ道とか、家の垣根のようなものです。便宜上、図示していない場合もありますが、形成されているのが一般的です。

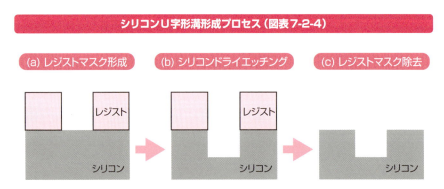

シリコンU字形溝形成プロセス（図表7-2-4）

▶▶ パワー半導体には独自の構造

　繰り返しになりますが、スピード重視の先端MOS LSIのトランジスタと大電流を流すパワー半導体用のトランジスタでは、その構造が全く異なるものと理解して良いでしょう。そのためのプロセスを以降に説明してゆきます。

7-3

エピタキシャル成長を多用

エピタキシャル成長は第8章でふれるSiCやGaNの薄膜結晶を作る際にも用いますが、パワー半導体の場合はデバイス構造を作る際にも用います。この場合はシリコン上にシリコンをエピタキシャル成長させます。

▶▶ エピタキシャル成長とは？

エピタキシャルとはギリシャ語のエピ（～の上にの意味）とタキシス（揃っているの意味）を合成してできた言葉で、シリコンウェーハと同じ結晶方位のシリコン層をシリコンウェーハ上に成長させることをいいます。このケースを同じ元素同士ということでホモエピタキーということもあります。同じ元素なので第10章で述べる緩衝層などが不要になります。

昔は主としてバイポーラデバイスに使用されていました。バイポーラトランジスタでn層の上により濃度の高いn^+層や、逆にp層の上により濃度の高いp^+層を形成してコレクタ抵抗を下げることなどに用いていました。

MOSデバイスでもCMOSのラッチアップ対策*でエピタキシャルウェーハが必要という提案も一時ありましたが、現在ではエピタキシャル成長は使用されておりません。

通常はシリコン系ガス*とドーピングさせたい不純物ガス（n型ですとホスフィン：PH_3、p型ですとジボラン：B_2H_6など）を添加して1,000℃以上の高温で行います。

このようなにエピタキシャル成長させた層を有するウェーハを正確には、エピキシャルウェーハといいますが、略してエピウェーハ、エピタキシャル成長をエピ成長、単にエピという場合もあります。

何ゆえパワー半導体でエピタキシャル成長が必要になるかについては、たとえば、パワー半導体の場合は、前述のようにオン抵抗を低減することが重要です。オン抵抗を低減するためには、このエピタキシャル成長を用いることもあります。なぜならエピタキシャル層の不純物濃度と厚さでオン抵抗が決まるからです。

＊**ラッチアップ対策** CMOS構造中に形成されてしまう寄生バイポーラトランジスタによる誤動作の対策。
＊**シリコン系ガス** シリコン（Si）を含むガスでシリコンの水素化物か塩化物が主流。前者にはシラン（SiH_4）、ジシラン（Si_2H_6）、後者には四塩化シリコン（$SiCl_4$）などがある。

7-3 エピタキシャル成長を多用

たとえば、図表7-2-1ではドレイン電極の上のn⁺層をエピタキシャル成長で形成します。

▶▶ エピタキシャル成長装置

このエピタキシャル成長装置で、通常の半導体製造装置と大きく異なる点は加熱温度が1,000℃以上まで可能な加熱機構を有するということです。通常は高周波の誘導加熱方式を採ります。パワー半導体ではウェーハが大口径ではないので、バッチ式＊MEMS（13ページを参照）が主体でターンテーブルに複数枚のウェーハを置く**ロータリーディスク型**と**縦型**（バレル型といいます。barrelは樽の意味です）が主流でした。

前者の例を図表7-3-1に、後者の例を図表7-3-2に示します。なお、業界では色々な呼び方があり、ロータリーディスク型をパンケーキ型やベルジャー型と呼んだり、バレル型をシリンダー型と呼ぶこともあります。これは成長装置の形状から由来しています。国内外の製造装置メーカが参入していますが、他の分野に比較して参入メーカの数は少ないようです。

IGBTではエピタキシャル成長を多用するため、IGBT用のエピタキシャル成長装置として国内で製造販売している例もあります。

ロータリーディスク型エピタキシャル成長装置の概要（図表7-3-1）

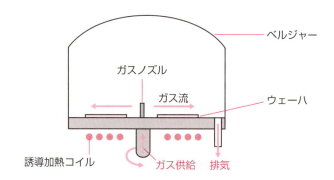

＊**バッチ式** 多数のウェーハを同時にまとめて処理する方式。対して1枚ずつ処理する方法を枚葉式という。

7-3 エピタキシャル成長を多用

縦型エピタキシャル成長装置の概念図（図表7-3-2）

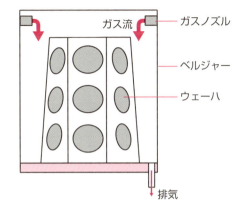

　実際のシリコンのエピタキシャル成長は前記のように1,000℃以上の高温で行われます。プロセス的には、その際のシリコンウェーハのそりなどにも注意が必要です。

　また、プロセス上、エピタキシャル成長で問題になるのものとしては、

- オートドーピング
- パターンシフト

などがあります。

　オートドーピングとはウェーハ上に高濃度のドーピング層があった場合に、その不純物がエピタキシャル層に高温下でドーピングされてしまうことです。ドーピング層がない場合でも、ウェーハ自体にn型やp型の不純物がドーピングされていますので、やはりオートドーピングが起こります。これらを考慮してエピタキシャル層の不純物プロファイルを設定する必要があります。

　パターンシフトはウェーハ上に段差の形状が存在すると、その段差に沿って忠実にエピタキシャル成長が起こるわけではないということです。特にリソグラフィ工程でのマスク合わせの障害になることがあります。なぜなら、マスクアライメント用のマークがこの現象によって不明瞭になるからです。アライメントについては次節を参照してください。

7-4

裏と表からの露光プロセス

7-4で簡単にふれた両面露光について、ここでは少し踏み込んで見てゆきます。

▶▶ 裏面露光の必要性

まず、裏面露光の必要性を説明します。10-3でふれますが、パワー半導体では裏面に後述する還流ダイオードのようなデバイスを形成する場合があります。これはオフになったときの過剰なキャリアを素早く回収するためです。

MOSFETの場合は構造自体に図表7-4-1に示すようにゲート電極下のp層と裏面のドレイン電極につながるn^-/n^+層がp-n接合ダイオードとなり、ダイオードが自然に組み込まれているような形ですので、さほど問題になりません。これを**ボディダイオード**と呼びます。n^-やn^+については7-5を参考にしてください。

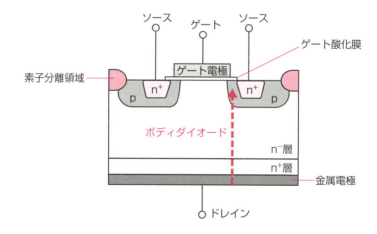

ボディダイオードの模式図（図表7-4-1）

プロセスの話とは少し脱線しますが、p型領域やn型領域およびその上部に配線が走っていたりする構造があると、意図しない場所にダイオードやトランジスタが形成されます。これらを「寄生デバイス」と呼びます。上のボディダイオードもそのひとつと思われます。

還流ダイオードとは？

一方で、IGBTの場合はボディダイオードは形成されません。そのための対策が**還流ダイオード**（Free Wheel Diode：FWDと略します）の設置です。これは過剰キャリアを図表7-4-2のようにダイオードを使用して除去する仕組みです。

パワー半導体では流れる電流が大きいので、オフになってもまだキャリアがエミッタ側に過剰に存在します。その過剰キャリアを、この還流ダイオードでコレクタ側に戻してやるわけです。ダイオードなので、一方向にしか流れないという働きをうまく利用しているわけです。

IGBTに設けられた還流ダイオード（図表7-4-2）

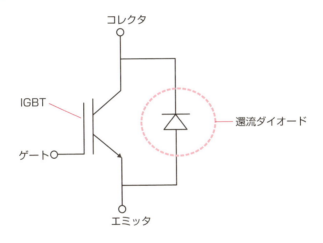

IGBTに還流ダイオードを組み合わせて作製しようとするとIGBTはバイポーラ構造を取っているので裏面からp^+/n^-構造となっています。図表7-4-3にその例を示しますようにこれにダイオード構造を組み込もうとすると図表7-4-1も参考にしてほしいのですが、エミッタの下のp領域とコレクタ間でp-n接合ダイオードを作るためには、別にn^+領域をパターニングで形成する必要があります。したがって、裏面側にもリソグラフィを行うことになります。

7-4 裏と表からの露光プロセス

裏面にパターニングが必要な例（図表7-4-3）

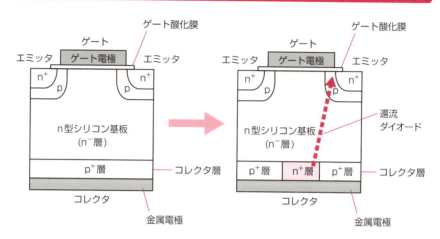

▶▶ 裏面露光装置

　裏面露光装置の模式図を図表7-4-4に示しておきます。アライナーのウェーハチャックに光を通す経路を設けておき、先に対物レンズでマスクのアライメントマークを検出し、マスクをアライメントし、その情報を基に次にウェーハチャックにシリコンウェーハをチャックし、ウェーハのアライメントマークを同じく対物レンズで検出して、ウェーハ裏面をマスク合わせをするものです。画像はCCDカメラで読み取ります。

裏面アライメントの概念図（図表7-4-4）

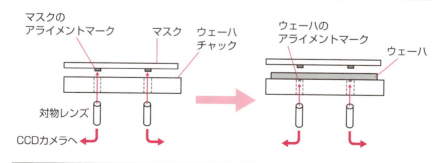

7-4 裏と表からの露光プロセス

　このアライメントで露光を行う装置はコンタクト露光（プロキシミティー露光も含む）方式と呼ばれているもので、図表7-4-1にもあるようにマスクとウェーハを接触させて露光します。現在シリコンMOS LSIで使用されている縮小投影露光法式に比較するとだいぶ前の世代の装置です。

　逆にいうとパワー半導体のリソグラフィはそれくらいの解像度やアライメント精度であるといえます。もちろん、光源は高圧水銀ランプです。露光装置の歴史や解像度の向上については拙著ですが、同じシリーズの「図解入門 よくわかる最新半導体プロセスの基本と仕組み［第4版］」に書いておきましたので、興味のある方は参考にしてください。

　この両面アライナーの製造装置に参入しているメーカは、シリコン半導体用露光装置装置メーカのニコンやキヤノンのような大手メーカではなく、光学機器や半導体製造装置メーカなどがあります。大手メーカが目を向けない領域をカバーしているといえます。

アライナーの思い出

　アライナーは、英語表記でAlignerで文字どおりalignさせる（整列させる）という語からきています。これは、リソグラフィ工程でコンタクト式か、プロキシミティー方式の露光装置を指すものです。これはウェーハの既設パターンに次のマスクのパターンを合わせて（アライメントといいます）、露光するものです。マスクの上から実体顕微鏡で離れたふたつのマークをx軸、y軸、θ軸を調整して両方とも合うようにするわけです。

　マークは下のウェーハとマスクに刻まれており、それを合わせます。もちろん、パターンの寸法が粗い時代の話です。「粗いなあ」ともいえるわけで、親父ギャグは不要とお叱りを受けるかもしれませんが、自分で調整して合わせるので、うまくいったときは、うれしいものです。

　もう、40年も前の話です。その後、パターンが微細になり、ステッパーやスキャナーの時代になったことはご存知の方も多いと思います。最初は国内の露光機メーカが優勢でしたが、最近は国外のメーカに押されています。そんな中で両面アライナーは国内メーカが頑張っているようです。ここではパワー半導体への応用を紹介しましたが、MEMSなどへの応用も考えられます。こういうニッチな分野でのこだわりも製造装置メーカには必要かもしれません。

7-5

裏面の活性化はどうするのか？

今度は裏面にドーピングした不純物の活性化の話です。不純物活性化の基礎から説明したいと思います。本節と次節ではフィールドストップ型のIBGTを例に取ります。

▶▶ 誤解しやすい不純物の濃度

筆者は半導体初心者向けの講演などを以前にした経験がありますが、誤解されやすかったのは、n型領域とかp型領域というと、その領域はn型ならn型の不純物で占められていると勘違いされる人がいるということです。

これらの領域を色付けして区別するので勘違いするのでしょう。実際はn型領域といっても殆どがシリコン原子でその中のごく一部、ppmオーダーでn型の原子に置き換わっている状態です。また、n^+はn型が高濃度で存在する領域であり、n^-はn型が低濃度で存在する領域であるということです。

▶▶ 不純物活性化の例

IBGTの**フィールドストップ型**とは図表7-5-1に示すようなタイプです。これについては9-4を参考にしてください。裏面にp^+/n^-構造の不純物層を有するフィールドストップ型のIGBTを製造する方法はFZ型のシリコンウェーハを薄くして、裏面から不純物を導入する必要があります。このため、次の節で述べるウェーハ薄化というプロセスと裏面からの不純物の注入とその後の不純物活性化と行う**裏面アニールプロセス**を必要とします。

まず、n^-層のFZウェーハの表面にエミッタ、ベース、ゲートをそれぞれ形成し、ウェーハの裏面を研磨して所望の厚さにした（これについては7-6でふれます）後の注入プロセスです。フィールドストップ型ではP（リン）を始めに注入し、その後にB（硼素）を注入します。これがそれぞれn^+領域とp^+領域になります。もちろん、n^+領域がフィールドストップ層になります。その後、ふたつの不純物の活性化の裏面アニールを行います。ふたつの異なるタイプの不純物の活性化を比較的厚い領域で行うため、複雑になります。

7-5 裏面の活性化はどうするのか？

裏面活性化プロセスの概念（図表7-5-1）

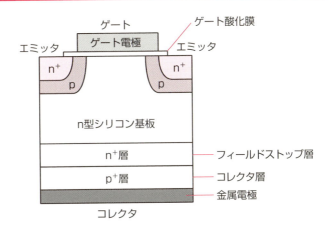

▶▶ 活性化のイメージ

　不純物の注入はイオン注入装置を用います。その後の活性化は**熱処理**（アニール）**装置**で図表7-5-2に示すように注入したリン原子をシリコン結晶の格子点に置き換えるように行います。図は便宜上のものであり、リン原子とシリコン原子の割合は前述のようなオーダーの比率です。実際の熱処理は石英炉や赤外線ランプアニール装置などを用います。最近はエキシマレーザアニール装置を用いる試みもあるようです。

イオン注入後と熱処理後のシリコン結晶（図表7-5-2）

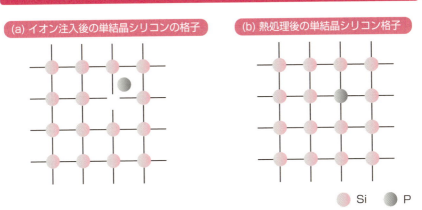

7-5 裏面の活性化はどうするのか？

IGBTの製造プロセスは、通常のMOSFETに比較すると複雑というか、だいぶ異なるものであることがおわかりいただけたと思います。

なお、ノンパンチスルー型も同様にウェーハ裏面に不純物層を形成しますが、この場合は研磨面からp型のB（ボロン、硼素ともいう）しか注入しません。ノンパンチスルー型については9-3を参考にしてください。

▶▶ 活性化装置の例

ここでは**赤外線ランプアニール装置**の例を示します。図表7-5-3に示すように、赤外線（800nm以上の波長）のランプ（ハロゲンランプなど）を用いてウェーハをアニールします。そのときの温度はパイロメータでモニターします。チャンバー内の雰囲気ガスはシリコンが酸化されないように、不活性ガスを用います。シリコンは赤外線をウェーハ全体で吸収するため、温度上昇が速いことが特徴で、そのため**RTA**（Rapid Thermal Annealing）**装置**ともいいます。

図に示すように、ウェーハ1枚ずつ処理する枚葉式の装置になりますが、ウェーハごとの処理時間は短いのでスループット＊の低下はありません。

赤外線アニール装置の模式図（図表7-5-3）

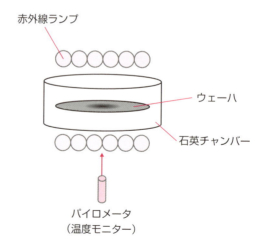

＊**スループット** 1時間あたりのウェーハの処理枚数。

7-6 ウェーハの薄化プロセスとは？

話が多少前後しますが、IGBTのフィールドストップ型を例に取り、ウェーハの薄化プロセスについて紹介しておきます。

▶▶ ウェーハを薄くする

7-5でふれましたが、IGBTのフィールドストップ型ではいったんウェーハを薄くしてから、裏面に不純物層の形成を行うので図表7-6-1に示すようになります。この場合、既にウェーハ表面側にはエミッタ、ベース、ゲートがそれぞれ形成されているので、これらを保護する必要があります。そのために図表7-6-2に模式的に示すようにシリコンウェーハ表面に保護樹脂を塗布し、図表には示していませんが、シリコンウェーハを反転して裏面を研削（**バックグラインド**、以降この用語を使用）します。

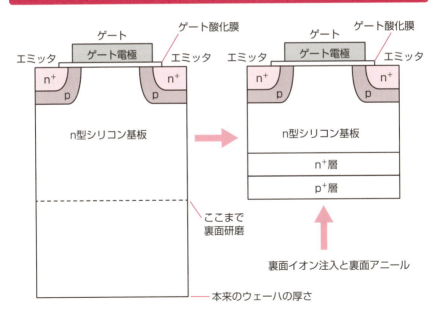

フィールドストップ型のプロセス模式図（図表7-6-1）

7-6 ウェーハの薄化プロセスとは？

ウェーハ薄化の概念（図表7-6-2）

▶▶ バックグラインドとは？

このバックグラインドはLSIプロセスでは、後工程に用いられているものです。

実際は図表7-6-3に示すように**ダイヤモンド砥粒**を含んだ平面砥石ホイールを約5,000回転/分で回転させて薄くします。保護面を真空でチャックテーブルに保持します。これを約5,000回転/分で回転するダイヤモンドホイール部を通過させながら、裏面を研削します。更に砥石の番手を変えて、仕上げ研削を行います。その後、ダメージ層が1μmほど残りますので、これを化学的に除去します。最近は薬液処理に代わり、ドライポリッシュを用いることもあります。

この後、すべての裏面プロセスを完了させ、この表面保護樹脂を除去します。

バックグラインドプロセスの概要図（図表7-6-3）

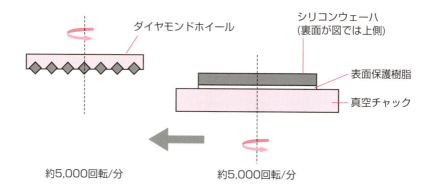

7-6　ウェーハの薄化プロセスとは？

▶▶ ベベル加工とは？

　最後にどこに入れたら良いか迷いましたが、この節で説明しておきます。

　ベベル (Bevel) とは沿面とでもいいましょうか、これもパワー半導体以外ではあまり耳にしないだろうと思うので簡単に説明しておきます。パワー半導体はウェーハ全体を使用すると前節で説明しました。図表7-6-4にウェーハ全体の模式図を示しますが、このベベル面は粗い仕上げ*になっています。パワー半導体ではウェーハの厚さ方向に使用するのでこのベベル部を放電防止のために保護膜で覆うとか、均 (なら) してなめらかにするような加工が行われます。

　また、パワー半導体の製造プロセスに関することでは、7-3で説明したエピタキシャル成長の場合も、このベベル面のコーナー (図中の矢印) に沿ってクラウンと呼ばれる、上部に突出したような異常成長が起こることがあります。このように製造プロセスではベベル面にも留意する必要があります。

　なお、MOS LSIプロセスではベベル面の加工を行うことはないですが、ベベル面にレジストや薄膜が付かないようにしています。拙著で恐縮ですが、同じシリーズの「図解入門よくわかる最新半導体プロセスの基本と仕組み [第4版]」の5-6で少しふれています。

ウェーハ各部の名称 (図表7-6-4)

- シリコンウェーハ (上面図)
- ウェーハ表面 (ミラーポリッシュ面)
- ベベル面
- ウェーハ裏面 (サンドブラスト面)
- 拡大

注) ウェーハの断面の縦横比は説明の便宜上、実際の縦の長さを誇張している。

＊**粗に仕上げ**　ウェーハに切断した後、ウェーハ表面はミラーポリッシュという鏡面仕上げとなっている (図表6-1-2参照)。対してベベル面は粗い仕上げである。

第7章　パワー半導体プロセスの特徴

143

7-7

後工程と前工程との違い

後工程について簡単にふれておきます。よく知っている人は飛ばしてください。後工程に入る前に、この節では半導体の一般的な後工程の簡単なフローを説明しておきます。半導体デバイスによっては後工程にも違いが出ます。

▶▶ 後工程とは？

　前工程（通常ウェーハプロセスと呼ばれます）と**後工程**では大きな違いがあります。前工程のプロセスは化学的・物理的な反応を用いるものが多く、実際のプロセス自体を目で確認できるものが少なく、あくまで結果として確認されるものです。しかし、後工程のプロセスはウェーハを薄くしたり、チップに切り出したり、ワイヤボンディングをしたりと、機械的な加工をする場合が多く、目でも確認できるプロセスが多いのが特徴です。そのため、製造装置も前工程の装置とは全く異なり、工場（ファブ）も前工程の工場とは別の場所に設置されていることが多くなります。

　また、工程の作業対象品は機械的加工を進めていく中でウェーハ、**チップ**（後工程では「ダイ」とか、古くは「ペレット」と呼んでいました）、**パッケージ**など色々な形態があります。そのため、特殊なキャリアや治具を使用します。全体のプロセスフローを図表7-7-1に示すとともに個々の作業対象品を図中に示しました。

　前工程はクラス1のクリーンルームで作業するのですが、後工程は図中に示したようにモールディング前まではクリーンルーム（クラスは前工程より低下します＊）で作業を行います。モールディングの後は、もうチップ自体は外部にふれませんので、通常の環境で作業します。

▶▶ 不良品を流さない後工程

　前工程との大きな違いは後工程には不良品を流さないということです。不良品を後工程に投入しても何の付加価値ももたらしません。そこで前工程の終了した各チップを良品か不良品かを判定しておく必要があります。つまり、後工程に入るチップにパスポートを与える役割を果たしているわけです。これをKGD（Known Good Die）といいます。それには図表7-7-1に示すプロービングという作業で良品

＊…低下します　後工程のクリーン度は、一般的に「クラス1000」とか「クラス10000」。「クラス1000」だと換気回数は数十回/時間になる。

7-7　後工程と前工程との違い

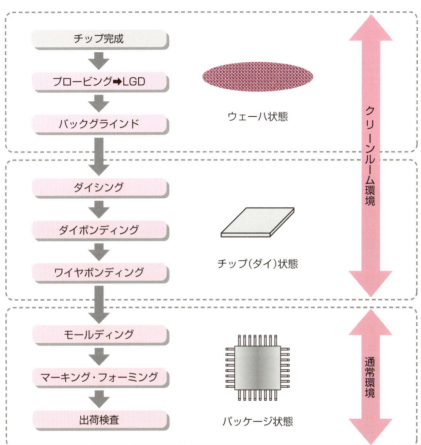

後工程の流れと作業対象（図表7-7-1）

を判別しておき、ダイシングの後にそのチップのみをモールディングに回すということが行われます。プロービングとはウェーハ状態のチップのパッド＊に測定器の針（プローブ：probe）を立てて電気的特性を測定することをいいます。

　対して、前工程ではウェーハをプロービングで測定してしまうとコンタミネーション（汚染）の問題からクリーンルームに戻すことができないので、プロービングは行わずに一応すべてのウェーハを流すことになります。結果が最後までわからないのは困るので、実際にはモニターウェーハなどを測定して、そのロットの傾向は

＊パッド（Pad）　針を立てる端子のこと。そのための広い面積でチップ周辺に配置されている。

7-7 後工程と前工程との違い

把握しておきます。その結果により、当該ロットは流さないなどの処置を行います。それを図表7-7-2に模式的に示してみました。

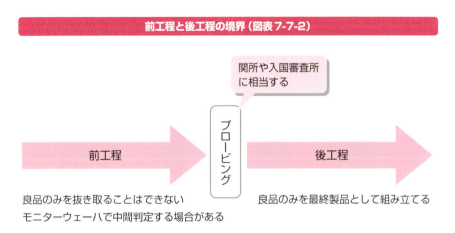

前工程と後工程の境界（図表7-7-2）

パワー半導体の場合は大電流を流して、測定する場合もあるのでウェーハでの測定だけでなく、チップにした状態で測定することもあります。特に特性の揃ったチップを集めて、並列化してモジュール化する場合などに必要です。

後工程のほうが違いが出る？

さて、パワー半導体の後工程でMOS LSIとの違いは、これまで何度かふれたように、高電圧、大電流を扱うデバイスなので、後工程にも工夫が必要です。それらについて、いくつかの例を以降の節で図表7-7-1に示す順番でモールディングまでふれてゆきます。ただし、バックグラインドについては7-6で同じようなプロセスにふれているので省略いたします。

ついでながら、書いておきますと、半導体でも発光素子などでは光放出面が必要になり、端面の加工やパッケージに光放出部を設けるなどの異なる後工程プロセスが存在します。後工程は製品に近い方のプロセスなので、前工程より半導体デバイスの種類により、違いが出るかもしれません。

7-8

ダイシングもちょっと異なる

ここではパワー半導体のダイシングについて、MOS LSIとの違いなどにふれます。次世代半導体材料のダイシングに注目です。

▶▶ ダイシングとは？

　まず、簡単に**ダイシング**（dicing）についてふれます。ダイシングとはチップ*をパッケージに収納するためにダイシングソーと呼ばれる専用のカッターでウェーハをチップ状に切り出すことをいいます。

　プロービング後にウェーハをバックグラインドで薄くした後に、**キャリアテープ**と呼ばれる接着性のあるテープに貼り付けます。これは切断した後にチップ*がばらばらになるとまずいので、その対策のためです。

　ウェーハはブレード（厚さは20～50μm）という硬質の材料に図表7-8-1に示したようにダイヤモンド粒子が付着したものを使用して、切断します。**ダイヤモンドブレード**は毎秒数万回転してウェーハを切断してゆきますので、摩擦熱が発生します。したがって、常に純水を高圧で噴射させながら、行います。この純水は同時にシリコンの切りくずを除去する役割も果たしています。

　一方で、純水をかけることによる静電破壊*の問題があるので、純水の中に炭酸ガスを混合させるのが一般的です。図表7-8-1にその様子を示しておきます。図表では省略していますが、ウェーハは専用のフレームを介して、テープと接着されています。したがってダイシング後、チップがばらばらになることはありません。

　なお、このキャリアテープの材料ですが、従来の塩化ビニル系に替わり、伸縮性に優れたポリオレフィン系の材料が用いられています。ウェーハとテープは接着剤により貼り付けされています。

　ついでながら書いておきますとダイジングという言葉は以前からの用語が、そのまま残ったものと思われます。昔はチップの面積が小さくて切り出すと、ダイ（さいころ：dice）のような形状だったので、その名残だと思われます。

---

* チップ　　以前はペレット（pellet）と呼ぶこともあり、古い本や文献にはペレットと書いてある場合もある。
* 静電破壊　純水は不純物をごく微量しか含まないので、比抵抗値が大きくなる。そのためにウェーハ表面の絶縁保護膜と接触した場合に静電気が発生し、その影響でチップの回路が破壊されることをいう。

第7章　パワー半導体プロセスの特徴

7-8 ダイシングもちょっと異なる

ダイシングの模式図（図表7-8-1）

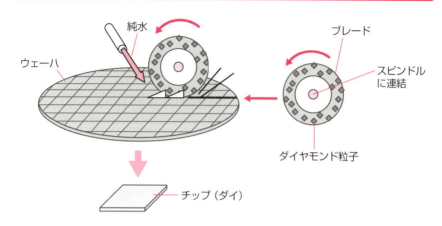

なお、ダイシングの手法としては図表7-8-2に示すように、ウェーハをすべてカットするフルカットと途中までカットするハーフカットがありますが、現状はフルカットが工程数も少なく主流になっています。

カット手法の比較（図表7-8-2）

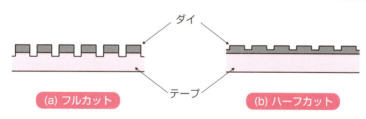

(a) フルカット
・テープまで切れ込みを入れる。
・加工時間は長くなるが、ダイにブレークする工程がないので、シリコン屑が出ない。

(b) ハーフカット
・テープへの切れ込みは無し。
・加工時間は短くなるが、ブレーク工程時にシリコン屑が出る

▶▶ SiC用のダイシング装置

第10章で紹介するように次世代パワー半導体ではシリコンに替わる基板材料が検討されています。それに伴いSiC用のダイシング装置が世の中に出てきているので、紹介します。

7-8 ダイシングもちょっと異なる

● 超音波付加によるダイシング

　そのひとつとして、SiCやGaNはシリコンよりも硬度が高いので、超音波付加によるダイシングソーが考えられています。これは図表7-8-3に示すようにブレードに付着させたダイヤモンド粒子を超音波で振動させて、より硬度の高い基板を効率良く切断するものです。

　なお、シリコン用のダイシング装置と化合物半導体用のダイシング装置に参入している装置メーカは異なることもあります。次世代のパワー半導体材料のダイシング装置は、両方のメーカからアプローチがあるようです。

超音波付加によるダイシングブレード（図表7-8-3）

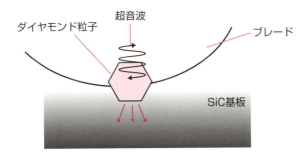

出典：ディスコHPを元に作成

● レーザソー

　ブレードによる切断に替わりレーザを用いるダイサーが注目されています。短波長レーザで直接基板を切断するもので、その模様を図表7-8-4に示します。SiCダイシングへの実用化は未知数ですが、面白い試みだと思います。半導体材料のダイシングとは異なりますが、アモルファスシリコン太陽電池などではレーザによるパターニングが主流になっています。ブレードによる加工ツールの磨耗がないのがメリットですが、その代わりにレーザ源にもよりますが、レーザのメンテナンスなどが課題になると思われます。

7-8 ダイシングもちょっと異なる

レーザ切断法の模式図（図表7-8-4）

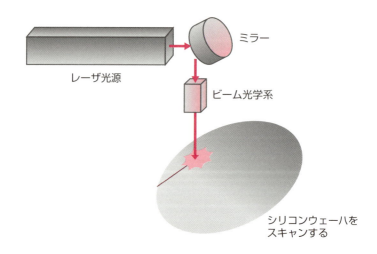

このレーザによる材料の切断は**レーザアブレーション**と呼ばれ、原理的には短波長のレーザ光（高いエネルギーを持つ）を固体に照射すると、分子骨格を形成している化学結合が光分解反応により、「爆発的に」切断される現象のことです。図表7-8-5に模式的に示しておきます。

レーザアブレーション法の模式図（図表7-8-5）

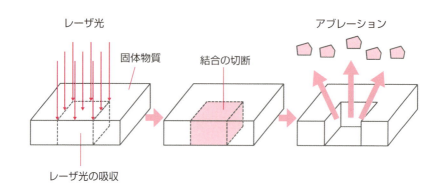

7-9 ダイボンディングの特徴

チップを基板に接続するダイボンディングという工程がありますが、これもパワー半導体の場合は多少異なります。この節ではそれについてふれます。

▶▶ ダイボンディングとは？

ダイボンディングとは切り出したチップをパッケージに収納するために基板に貼り付けることをいいます。電気的な接触も取ります。この場合、ダイシングが済んだチップのことは**ダイ**＊と呼ぶことがあります。

ダイシングが完了したウェーハの中から良品チップのみを選択し、パッケージ用の台座（ダイパッドと呼びます）に乗せてから、接着剤などで固定します。これをダイボンディングといいます。各チップは7-8でふれたキャリアテープに付着したままなので、ばらばらにならずに搬送できます。もちろん、不良品のチップは最終的に破棄されます。まず、良品チップを下からニードルで突き上げます。浮いたところを真空チャックで捕捉してリードフレームのダイパッド部上に搬送します。その流れを図表7-9-1に示しておきます。

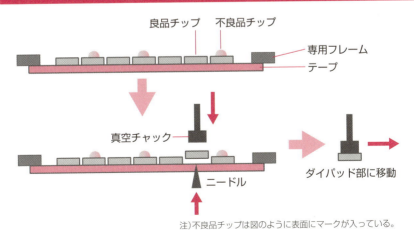

ダイボンディングまでの流れ（図表7-9-1）

注）不良品チップは図のように表面にマークが入っている。

＊ダイ　英語ではdie、複数形がdice。さいころのこと。日本語ではダイスという場合がある。チップのことをペレットといったり、ダイといったりするのは7-8に記載したように長年の習慣によるものと思われる。また、会社によって呼び名が異なる場合もある。

7-9 ダイボンディングの特徴

▶▶ パワー半導体の場合は？

　MOS LSIなどでは、樹脂接着法や共晶合金結合法を用いるのに対してパワー半導体のダイボンディングではハンダを用いるのが主流になっています。ハンダはボイドの発生や界面での空隙生成が起こると製品の信頼性を著しく低下させるので、ハンダの「濡れ性」の改善が課題になります。それを図表7-9-2に示します。濡れ性改善のために前処理プロセスを導入するなどの工夫も考えられています。また、環境面から鉛フリー化も材料面での課題になります。たとえば、EU圏ではRoHS*により2006年7月より電子部品には鉛を使用してはならないことになっています。

　パワー半導体の場合もパッケージの小型化・高密度実装化の要求があり、そのため、ダイパッドとの位置精度制御の向上なども課題になります。それは製造装置の課題になりますので、ここでは課題の紹介だけにしておきます。

ダイボンディングの課題（図表7-9-2）

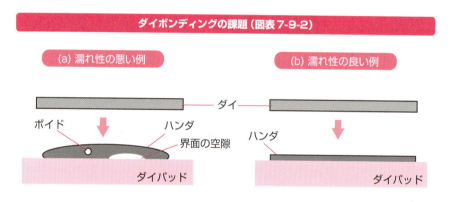

(a) 濡れ性の悪い例　　(b) 濡れ性の良い例

　なお、参考までですが、ダイボンディングも以前からの用語が残っているものであり、別の呼称としてダイアタッチ（die attach）とかマウントともいいます。半導体プロセスでは色々な名称があることは、これまで述べてきたとおりです。ついでながら、前節で述べたダイシングでも、現状のダイシング装置が現れる以前はペレッタイズ（pelletize）と呼び、ダイヤモンドペンのようなもので線状の傷を入れ、それを板チョコを割るようにしていたと聞きました。PCといえば、現在ではPersonal Computerですが、筆者がこの世界に入った頃はPellet Checkのことでした。

＊**RoHS**　Restriction of Hazardous Substancesの略。EU内でのエレクトロニクスに関連する特定有害物質の使用制限に対する指令。ローズとかロハスとか呼ばれている。

7-10
ボンディング用のワイヤも太くなる

ここではパワー半導体のワイヤボンディングの件についてふれます。パワー半導体では流す電流がMOS LSIのトランジスタとは桁が違うのでワイヤも太くなります。

▶▶ ワイヤボンディングとは？

始めに**ワイヤボンディング**について簡単にふれます。MOS LSIのパッケージからまるで百足(むかで)の足のようにリード端子が出ているのを見たことがあるかと思います。このリード端子とチップ上のMOS LSIの端子をワイヤでつなぐのがワイヤボンディングです。

このワイヤは通常、金（Au）線で形成され、電気を通すことになります。MOS LSIの場合は、最小15μmほどの太さです。これは人間の髪の毛（約50～100μm）よりも細い径になります。また、99.99％とかなりの高純度の金が使用されています。金を用いる理由は配線として金は安定で信頼性が高いからです。

▶▶ リードフレームとの接続

ところで、チップ上の端子を**ボンディングパッド**と呼びます。一方、リードフレームのチップ側をインナーリードと呼びます。ワイヤは自動化された**ワイヤボンダー**という装置を用いて、1秒間に数本から10本のワイヤがボンディングされます。一時期テレビなどで半導体工場の映像として流れる場合がありましたので、見たことがある方がおられると思います。

余談ですが、自動ワイヤボンディング装置が開発されるまでは、人間がひとつひとつワイヤボンディングをしていました。筆者も試作品で行ったことがあります。実際の工場では、以前は手先の器用な女性作業員が人海戦術で行っており「大奥」などと呼ぶ人もいた時代がありました。

ワイヤボンディングされたチップとリードフレームの断面図を図表7-10-1に示しておきます。

7-10 ボンディング用のワイヤも太くなる

ワイヤボンディングされたチップとリードフレームの図（図表7-10-1）

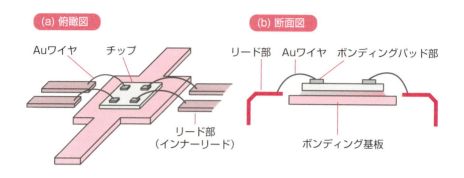

なお、7-7で説明したようにここまでの工程や次のモールディング工程はクリーンルームの中で行われます。

▶▶ 銅（Cu）ワイヤについて

パワー半導体では大電流を流すので、前述のような細い金ワイヤでは対応できません。

金ワイヤを太くすることもコスト高を招くので、従来数百μmのアルミニウムワイヤやリボンを用いてきました。ただ、より電流を流すという意味ではアルミニウムより銅（Cu）を用いる試みがあります。

一方、前述のように金を使用することでコスト高を招くのは自明のことですので、最近はMOS LSIでも銅を用いるワイヤボンディングが導入されつつあります。銅にするとコストが1/3から1/5になるといわれているからです。パワー半導体の場合は**銅ワイヤ**を用いたとしても図表7-10-2に視覚的に示すように太さが10倍以上必要ですので、MOS LSIの後工程のようなボールボンディングができません。そこでウェッヂボンディングという方法を用います。

ボールボンディングという用語が出てきましたが、これは金ワイヤの先端をボール状にしてから、ボンディングを行うため、このように呼ばれます。

7-10 ボンディング用のワイヤも太くなる

ワイヤの比較図（図表7-10-2）

(a)金ワイヤ(15μm)

(a)銅ワイヤ(200μm)

ウェッヂボンディングとは

　ウェッヂ（wedge）とはくさびの意味でゴルフのクラブの名称にもなっています。**ウェッヂボンディング**とは図表7-10-3に示すようにワイヤに超音波を印加し、ウェッヂを用いて常温で圧着し、ボンディングする方法です。従来のアルミニウムワイヤのボンディングなどで使用されてきました。このような方法を用いれば、銅の太いワイヤもボンディングすることができるわけです。

ウェッヂボンディングの模式図（図表7-10-3）

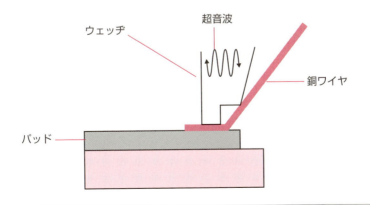

7-11
封止材料も変化

次世代パワー半導体ではパッケージの封止材料で独自のものが考えられています。特に耐熱性の観点からの工夫です。ここではMOS LSIのパッケージ材料との対比で見てゆきます。

▶▶ 封止材料とは？

はじめに簡単にパッケージのことにふれておきます。チップのダイボンディングとワイヤボンディングが終わったら、今度はチップのパッケージ収容のための**モールディング**を行います。

モールディングとはチップを保護材料で封止することで、この材料を**封止材料**と呼びます。チップを餡子としますと鯛焼きの皮を付けるようなものです。金型で上下から挟み、成型するところも似ています。

▶▶ モールディングプロセスの流れ

まず、一般的なリードフレーム型のモールディングについて述べます。モールディングプロセスの流れを図表7-11-1に示します。ワイヤボンディングの終わったチップとフレームを搬送して、パッケージの下部金型の上に置きます。ここでは、金型の上部をかぶせた後に上下の金型の空間部（キャビティー）にチップが入るような配置になります。ここで上下の金型に圧力をかけ、十分に金型を密着させます。そこにポッド部からプランジャで押し込んでエポキシ樹脂などを流し込みチップを完全に封入するような形でモールディングを行うわけです。

このモールディングプロセスはウェーハプロセスとは全く異なる、如何にも「後工程」という印象ですが、いかがでしょうか？　前述しましたように、このモールディングプロセスまではチップが外気に晒されていますので、クリーンルーム内で行います。

なお、図表7-11-1では図の便宜上、ひとつのチップに対してひとつのモールディングを行う形で描いておりますが、実際の工程では、たくさんのチップを一括してモールディングを行う方式になっています。

7-11 封止材料も変化

モールディングプロセスの流れ（図表7-11-1）

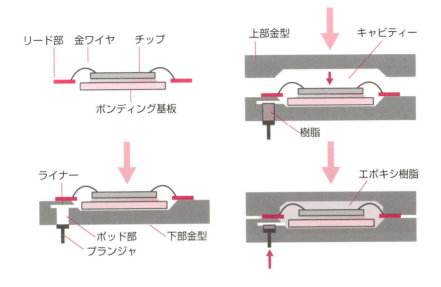

▶▶ 樹脂注入と硬化

　金型は160〜180℃ほどに加熱されています。図表7-11-1に示すように熱硬化型のエポキシ樹脂を金型に形成してあるポット部に投入します。一方、チップとチップの間の下部金型は、そこに樹脂を投入するポット部になっていると考えてください。熱で溶融したエポキシ樹脂をプランジャでライナーからキャビティー部に押し込みます。この方法を**トランスファーモールド方式**といいます。温度の低下とともにエポキシ樹脂が硬化します。そこで金型を外して、更に所定の時間をかけ、硬化させることでモールディングが完成します。

7-11 封止材料も変化

樹脂材料の見直し

最近の課題としてはワイヤボンディングと関連するのですが、ワイヤ材に銅（Cu）が使用されようとしています。銅は金に比較すると腐食に弱いので塩素（Cl）を含まないエポキシ樹脂が開発されています。

更に次世代のパワー半導体の場合を紹介します。次世代のパワー半導体材料であるSiCやその先のGaNでは動作温度保証をシリコンの150℃に対して200℃以上にすることが考えられています。これは各半導体材料のバンドギャップによるのですが、SiCやGaNでは可能になると考えられています。

そこで問題になるのは従来の樹脂材料の耐熱性です。そこでパワー半導体の新材料世代では新しい**耐熱性樹脂**の封止が提案されています。図表7-11-2にはそのひとつである**ナノコンポジット型**の樹脂の例です。これは高熱伝導性のポリシロキサン有機系樹脂にナノサイズの無機材料を分散させたものです。このように次世代パワー半導体では動作温度保証の高温化により、耐熱性の材料が求められることになります。

以上述べたように次世代パワー半導体の後工程では色々と材料開発のフロンティアがありそうです。

次世代パワー半導体用封止材料（図表7-11-2）

(a) 従来の高分子系樹脂　　(b) 次世代パワー半導体用ナノコンポジット樹脂

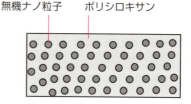

無機ナノ粒子　　ポリシロキサン

第8章

パワー半導体メーカの紹介

　ここではパワー半導体メーカの紹介をしたいと思います。第1章で車を例に挙げてパワー半導体メーカとその他の半導体メーカは異なることを示唆しました。ここでは個々のメーカの紹介というよりは最近の半導体業界の動向とからめて各地域のパワー半導体メーカの動向を探ります。
　読み物として読んでください。

8-1
脱ロードマップ時代の到来

この節ではパワー半導体が現状の半導体産業分野で占める位置付けのようなものをMOS LSIとの対比で見てゆきます。

▶▶ モア・ムーアとモア・ザン・ムーア

パワー半導体を理解してもらうために色々な面から筆者なりに説明している一環として、ここでは半導体産業の発展という視点から見てみましょう。前にも書きましたが、現行の半導体プロセスやデバイスの入門書はMOS LSIを前提に書いてあるものが殆どです。それも無理はなく、半導体売り上げの殆どはMOS LSIで占められているからです。ところでMOS LSIはいうまでもなく、微細化による高集積化でコストダウンを図ることを指導原理というかドライビングフォース(推進力)として産業の発展を図ってきました。その技術的な指標がスケーリング則であり、産業上の指標がいわゆる「ムーアの法則」です。最近ではこのムーアの法則を追及してゆく考えを「モア・ムーア(More Moore)」と呼んでいます。色々な本に書いてありますので、参考にしてください。拙著で恐縮ですが、同じシリーズの「図解入門よくわかる最新半導体プロセスの基本と仕組み[第4版]」でもふれていますので参考になれば幸いです。

モア・ザン・ムーア路線で捉えたパワー半導体(図表8-1-1)

微細化一辺倒のモア・ムーア
↓
微細化だけでなく色々な展開を図るモア・ザン・ムーア

| 太陽電池 | MEMS | パワー半導体 | バイオチップ | ･････ |

センサ
アクチュエータ

8-1 脱ロードマップ時代の到来

▶▶ モア・ザン・ムーアとは？

「モア・ムーア」に対して、「モア・ザン・ムーア（More than Moore）」という考え方があります。この名称はムーアの法則にこだわらないという意味合いで名付けられたのでしょうが、狭い意味では微細化路線に依らない半導体技術のことです。これについては色々な呼び方があります。筆者は「脱ムーア」と呼んでいました。その他には「脱スケーリング」などがあります。

半導体技術のロードマップを作成する国際的なワークショップであるITRS＊活動でも、このモア・ザン・ムーアが取り上げられており、図表8-1-1に示したような表現の仕方になっています。ここではモア・ザン・ムーアは微細化に依らない半導体デバイス機能の拡大という捉え方をしておきましょう。図表8-1-1にあるようにアナログ・無線、パワー半導体、センサやアクチュエータ（より具体的にはMEMSなど）、バイオチップなどが挙げられています。

これはどちらかというとMOS LSIの微細化を進めてきた立場、言い換えると「ロードマップ至上主義者」ともいえる立場から見たパワー半導体の位置付けという印象が筆者にはあります。実際パワー半導体は半導体産業の開始時から続いているわけで、最近発展してきたわけではありません。パワー半導体を進めてきた立場の方からすればMOS LSIは新興勢力であり、パワー半導体をモア・ザン・ムーアなどと分類されるのは余計なお世話というところかもしれません。微細化のロードマップであるITRSに取り上げられたのはITRSの2007年版からです。このことは何を意味するのでしょうか？　微細化一辺倒のロードマップに限界が出てきたということでしょうか？　それはともかく、パワー半導体は微細化という路線とは別の流れに位置付けられていると理解したほうが良いと思います。

以上のことを図表8-1-2に漫画的にまとめてみました。パワー半導体はモア・ザン・ムーアの流れで昨今のムーブメントで出現したわけではなくモア・ムーア路線とは一線を画して発展してきたものです。

＊ITRS　International Technology Roadmap for Semiconductorの略で国際半導体技術ロードマップと訳されている。現在は発展的に解消してIDRSという組織で微細化にこだわらない活動をしている。

8-1 脱ロードマップ時代の到来

パワー半導体のたとえ (図表8-1-2)

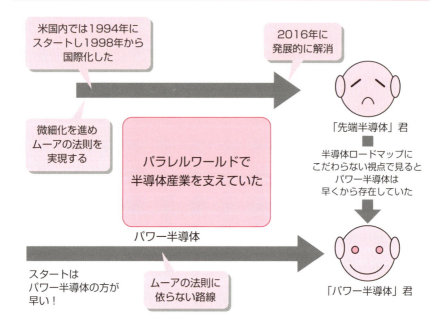

 ロードマップはペースメーカ

　先端半導体のロードマップはマラソンにたとえれば、各ランナーのペースをある程度の距離まで引っ張る「ペースメーカ」ともいえます。ペースメーカに付いていくのはある意味では簡単ともいえます。もっとも付いてゆく力があることが前提ですが、本文でも書いたように事実上、「国際半導体ロードマップ」の活動が発展的に解消したので、現状はペースメーカが外れたマラソンレースといえます。どのメーカが生き残るのかは興味深いところです。

　また、別の面から見ると先端LSIとパワー半導体を鉄道にたとえると新幹線に代表されるような特急列車の速度競争と貨物列車というところかもしれません。新幹線は到達時間の短縮を図るために新しい車両を開発している一方で、貨物列車はどれくらいの荷物を遠くに効率的に運べるかが課題といえます。もっとも最近の貨物列車はコンテナ特急が多いですね。先日の地震の影響で東北新幹線の一部が運休になりました。新幹線の再開の情報は日々ニュースになりますが、在来線は早々に再開して長距離貨物列車が通れるようになったことはニュースになりません。貨物列車は日本の物流を支えているのですが、第1章で述べたようにパワー半導体のように縁の下の力持ちだからでしょうか？

8-2 勢いのある"日の丸"パワー半導体

メモリや先端ロジックでは苦戦している我が国の半導体メーカですが、パワー半導体の分野では善戦しています。ここではその動向を示します。

▶▶ "日の丸"半導体の凋落

1980年代半ばには日本の半導体メーカのシェアは世界の50％ほどを占めていました。1985年の世界トップ5にはNEC、日立、東芝が入っていました、筆者の手元にある資料ではそれぞれ、1位、4位、5位です。因みにモトローラが2位、3位はTIです。

2020年の半導体メーカのシェアは1位がインテルで、以下、三星、SK Hynix、Micron、Qualcommがトップ5です。主役がすっかり交代していることがわかります。

参考までに2020年度の半導体売り上げランキングを図表8-2-1に示します。日本のメーカで入っているのはキオクシアだけです。これは東芝のメモリ部門が分離独立したものです。80年代からのメーカで名前が残っているのはインテルとTI（テキサス・インスツルメンツ）くらいです。時代の流れを感じさせます。

半導体メーカトップ10（2020年）（図表8-2-1）

出典：ガートナーデータクエスト

8-2 勢いのある"日の丸"パワー半導体

　日本の半導体メーカのランクが大きく落ちたのは2000年以降のITバブルの崩壊後でしょう。その結果、業界の再編が進んだことはご存じのことと思います。代表的な例としてルネサスは当時の日立と三菱電機の半導体部門が合併してできた会社（その後NECエレクトロニクスも参加）です。また、同じく日立、三菱、NECエレクトロニクスのメモリ部門が再編されてエルピーダメモリという会社になりましたが、図表8-2-1にもランクインしているマイクロンに統合されてしまったのは記憶に新しいことです。この動向や背景を探るのは本書の目的ではないので、これ以上ふれません。

▶▶ 半導体製造のパラダイムシフト

　もともと我が国の半導体製造は総合電機メーカや家電メーカを中心に発展してきました。それは半導体デバイスが従来の整流器や真空管デバイスなどを置き換えるものだったからです。これは欧米などの先進国も同じだと思います。その中で我が国のメーカでは大企業の半導体部門を中心に自前の装置やプロセスの開発を進めてきましたが、半導体市場が大きくなるにつれ、独自性よりより低コスト化を図るためにアウトソースも使えれば使うというパラダイムシフトが起こりました。その例

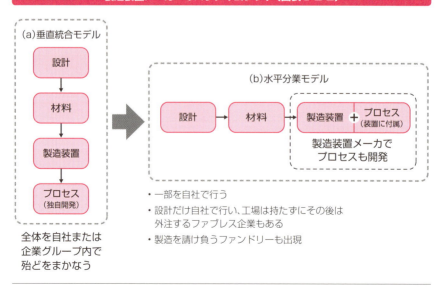

製造装置メーカへのパラダイムシフト（図表8-2-2）

(a) 垂直統合モデル
設計 → 材料 → 製造装置 → プロセス（独自開発）
全体を自社または企業グループ内で殆どをまかなう

(b) 水平分業モデル
設計 → 材料 → 製造装置 ＋ プロセス（装置に付属）
製造装置メーカでプロセスも開発

・一部を自社で行う
・設計だけ自社で行い、工場は持たずにその後は外注するファブレス企業もある
・製造を請け負うファンドリーも出現

8-2 勢いのある"日の丸"パワー半導体

を図表8-2-2に示します。この中でトップテンにランクインしているQualcommやメディアテックのような**ファブレスメーカ**＊や台湾のTSMCや米国のグローバルファンドリーのような**ファンドリー**＊が登場しているのが現状です。

特に半導体製造装置はこのパラダイムシフトでプロセス開発も装置メーカに移るようになり、装置を買えば、プロセスも付いてくるようになりました。もちろん、製造装置を買ってくれば、明日にでも半導体が作れるわけではないのですが、そういう誤解を生んだものです。

▶▶ パワー半導体のものづくりは"アナログ的"？

パワー半導体の製造プロセスは第7章でもふれたように、MOS LSIのそれとは異なり、独自の構造やプロセスが依然として存在し、非常にアナログ的といいますか、「鼻薬を混ぜる」とか「秘伝のたれを加える」といったような面があります。

我が国の半導体メーカは微細化ラインを進んできたと書きました。これはおおむね間違ってはいませんが、8-1でもふれたように「パラレルワールドの別の面」から見るとパワー半導体の道をずっと追いかけてきたといっても過言ではありません。その証拠にメモリや先端ロジックでは苦戦している日本企業ですが、パワー半導体の分野では殆どの製品でシェアの半分ほどを占めています。

たとえば、パワー半導体のひとつであるIGBTの生産シェアは三菱電機、富士電機、東芝の3社で世界シェアの6割ほどといわれています。また、図表8-2-3にパワー半導体メーカのランキングを示しますが、我が国のメーカが頑張って4社がベスト10入りしていることがわかります。パワー半導体の分野の強みはこれからの半導体ビジネス展開の上で考えさせられるものがあると思います。今後もこの強みを発揮できるような戦略を考えてゆくべきだと思います。

また、東アジアの新興勢力は1社もランクインしていません。これは上記のようにパワー半導体のプロセスの特異性のように思えます。

＊**ファブレスメーカ** 設計を自社で行い、自前の工場は持たずに製造を外部メーカに委託する半導体メーカ。
＊**ファンドリー** 半導体の製造をファブレスメーカなどから請け負うメーカ。

8-2 勢いのある"日の丸"パワー半導体

世界のパワー半導体メーカランキング（図表8-2-3）

1位	インフィニオン	（独）
2位	オン・セミコンダクター	（米）
3位	三菱電機	（日）
4位	STマイクロ	（伊・仏）
5位	富士電機	（日）
6位	東芝	（日）
7位	ルネサス	（日）
8位	アルファ&オメガ	（米）
9位	Nexperia	（蘭）
10位	Vishay	（米）

出典：英国Omdia社資料を元に作成

　図表8-2-3に挙げたパワー半導体メーカの社名は、図表8-2-1にランクインしている半導体メーカのように有名な名前は少ないかもしれません。やはり第1章で述べたようにパワー半導体は縁の下の力持ちのような面があると思います。図表8-2-3のうち、欧州系のメーカは8-5でふれます。米国系のメーカは8-6でふれます。なお、図表8-2-3では8位のメーカを「アルファ&オメガ」としていますが、正式には「アルファ&オメガセミコンダクター」であり、2000年創業のパワー半導体専業メーカです。また、我が国のメーカは8-3と8-4の両方でふれています。

8-3 垂直統合モデルが残る総合電機メーカ

我が国では半導体は総合電機あるいは家電メーカを中心に発展してきた経緯があります。水平分業・縮小均衡が進む半導体業界ですが、これらのメーカではパワー半導体はどうなっているのでしょうか？

▶▶ パワー半導体発展の経緯

　我が国ではウィリアム・ショックレーらによるトランジスタの発明が伝わるや早速、半導体デバイスの開発に着手しました。総合電機メーカや家電メーカ、通信機メーカを中心に従来の真空管からトランジスタへの変換を図るためでした。

　8-2で紹介したIGBTでシェアを取っている例として挙げた3社はいわゆる重電メーカです。うち、三菱電機、東芝は総合電機メーカともいえます。図表8-3-1に我が国の重電大手5社を示します。これらのうち、上位3社までがいわゆる総合電機メーカです。我が国の半導体は総合電機メーカや家電メーカを中心に発展してきたと前述しましたが、それが裏付けられると思います。なお、富士電機の情報通信部門が独立したのが、富士通であることはご存知のとおりです。明電舎は住友系の会社で、NECは同じ住友系ですから、実は系列まで含めて考えるとこの表の5社は「総合電機メーカ」といえるのかもしれません。このうち、4社までが自社内でパワー半導体を生産しています。このことは日本の半導体の発展は半導体に目を付けたベンチャー企業が行ったというよりは、会社の規模も大きく、体力もある総合電機メーカや大規模家電メーカが発展させてきたといえます。もっともこれは我が国だけではなく米国でも欧州でも似たようなものです。

　その流れで半導体全体では8-2でふれたような強みと弱みが顕在化したかもしれません。強みの裏返しは弱みだからです。

　前記のようにこれらのうち4社までがすぐに自社内でパワー半導体を生産しています。これらのメーカは半導体が出始めてから、パワーエレクトロニクスに参画したという長い歴史を有していることがわかります。

8-3 垂直統合モデルが残る総合電機メーカ

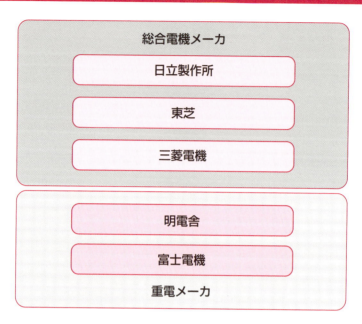

我が国の重電大手5社（図表8-3-1）

▶▶ グループ内での相乗効果

　参考までに図表8-3-1に挙げた5社の企業グループを図表8-3-2に挙げておきます。

　ここに挙げた半導体メーカはパワー半導体専業の富士電機は別としてLSI事業では日立や三菱電機はメモリ関連をエルピーダメモリに、また、ロジック、マイコン関係をルネサスエレクトロニクスに移管しました。

　そのエルピーダメモリは外資系のマイクロンに買収されています。東芝も近年半導体メモリを自社から切り離しキオクシアとして独立させました。しかし、パワー半導体は自社内に保っています。

　言い換えるとパワー半導体は自社内（広く含めると系列会社内）での需要があったといえます。社内や系列内の需要がコンスタントにあり、事業を継続できたことになると思います。もちろん、社外の需要にも対応していることはいうまでもありません。また、見方を変えますと図表8-3-2に中にも記しましたが、これら企業グ

8-3 垂直統合モデルが残る総合電機メーカ

グループ内に図表1-1-2に示したような半導体ビジネスの上流から下流までのインフラがあったことが強みなのかもしれません。

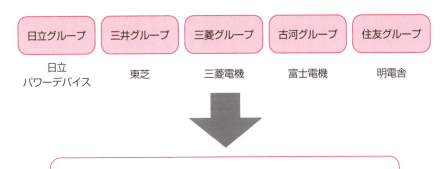

図表8-3-2 我が国の重電大手グループ

日立グループ	三井グループ	三菱グループ	古河グループ	住友グループ
日立パワーデバイス	東芝	三菱電機	富士電機	明電舎

相対的な強み
- パワー半導体はカスタム的要素が多い
- グループ内に図表1-1-2に示したような上流から下流までのビジネスストリームがある

　色々な視点からの見方があるということで述べておきたいと思います。姉妹書の「図解入門よくわかる最新半導体製造装置」でふれましたが、我が国の半導体産業の低迷の原因のひとつにグループ内で完結させる、いわゆる「系列化」があり、それが産業インフラの硬直化につながったというものです。確かにその面はあり、我が国ではファンドリーやファブレス企業が出遅れた感はあります。
　一方パワー半導体ではグループ内での相乗効果がうまく出ている面もあります。色々と考えさせられる問題です。

8-4
専業メーカが生き残る？

パワー半導体の分野では専業メーカが生き残っています。どのような強みがあるのか、この節ではそれらのメーカの動向を見てゆきます。

▶▶ 専業メーカの発展の歴史

　我が国のパワー半導体の専業メーカとしては、富士電機、日本インター（旧日本インターナショナル整流器　現在は京セラに吸収合併）、新電元、サンケン電気などがあります。富士電機は8-3でふれましたので、残りのメーカについてふれますと新電元やサンケン電気はもともと戦前・戦中からセレン整流器を手がけていたメーカやその部門が母体になって戦後できた会社です。シリコン半導体が出現するまでは水銀やセレンなどを用いる整流器が主流であったことは第2章でも述べました。これらをシリコンの整流素子で置き換えることが当時の動向だったようです。日本インターは京三製作所と米国インターナショナルレクティファイアー（8-6参照）が合弁で作った会社です。レクティファイアー（rectifier）とは整流器のことです。京三製作所は信号機メーカとして有名ですが、やはり戦前からセレンや亜酸化銅の整流器を手がけていました。これからもわかるように戦後にシリコン半導体が発明さ

我が国のパワー半導体メーカの流れ（図表8-4-1）

8-4 専業メーカが生き残る？

れて、シリコンを使った整流器の実現を始めとしてパワー半導体に参入することになったことがわかります。要は専業メーカも8-3で紹介した会社のように長い歴史があるということです。これらの企業から見ればメモリ専業メーカなどは半導体ビジネスの新参者といえるかもしれません。

▶▶ 部品メーカの台頭

　ここに来て部品メーカからの参入が目立ちます。その例としてロームが次世代半導体材料も含めパワー半導体に注力しています。ロームは筆者が社会人になった頃は東洋電具製作所の名称でチップ抵抗や積層コンデンサなどの電子部品が主力で、半導体には着手していなかったと記憶しております。その後、半導体事業にも着手し、ヤマハの半導体工場や沖電気の半導体部門を買収するなど積極的な展開を見せています。SiCなどの次世代パワー半導体材料の開発などにも積極的です。

　同じく京セラが前述のように日本インターを資本傘下に収めた後に吸収合併したように部品メーカがパワー半導体分野に進出しています。これらの動向の背景には後述のような背景があるものと思われます。偶然でしょうが、両社とも京都がルーツの企業であることが興味深いです。これらの流れを図表8-4-1に示してみました。

　部品メーカは材料をベースにする製品を実用化してきたので、特に次世代パワー

MOS LSIとパワー半導体の比較（図表8-4-2）

	使用ウェーハ／大口径化	製造プロセス	ファブ
MOS LSI	・CZ結晶 ・大口径化への要求多大 　→450mm化も一時検討	・微細化への要求が大！ 　→常に装置の最先端化が求められる ・先端ロジックでは多層配線工程の比重大 大←寸法→小　年代	・汎用品はメガファブも必要 　→高額投資 Fab 1　Fab 2　…
パワー半導体	・FZ結晶 　→200mmが限界？ ・大口径化への要求少	・微細化への要求が少ない ・トランジスタ形成工程が主	・少量多品種に対応 　→小回りの効くライン構成

8-4　専業メーカが生き残る？

半導体のように材料から研究開発するのに抵抗がないのかもしれません。

　参考までに昔話で恐縮ですが、1970年代には電子部品メーカも半導体に参入すべく、米国半導体メーカと合弁会社を作った時期がありました。TDKは米国フェアチャイルドと、アルプス電気は米国モトローラ（これらの2社については8-6でふれます）と合弁会社を作りましたが、諸般の事情でその後は撤退したようです。当時は第二次石油ショックなどで経営環境が悪い時代というのも背景にあったかもしれません。

▶▶ 専業メーカが生き残れる背景

　これらの専業メーカや部品メーカが大企業に伍して生き残っている背景をあくまでMOS LSIとの相対的な比較の中で筆者なりに分析すると、

- MOSとは異なる独自のウェーハを使用すること、しかもFZウェーハは8インチが限界といわれ、加えてパワー半導体自体にウェーハを大口径化にする必要性は比較的少ないこと。
- 微細化にはさほど注力しなくても良い。半導体産業は装置産業ともいわれ微細化には莫大な投資が必要になる。
- プロセスとしてはLSI、特に先端ロジックのような多層配線工程がなく、トランジスタ形成が主であり、高額投資は必要ない。
- 電圧や電流の仕様が種々存在し、少量多品種に対応する必要性があり、汎用メモリのメガファブのような巨大な投資より臨機応変なファブが求められる。

などが考えられます。

　部品メーカのパワー半導体への参入はニーズがあることは当然ですが、以上のような背景があるのかもしれません。以上を図表8-4-2にまとめてみました。

　もうひとつ筆者なりに挙げるとすれば、半導体製品の荷姿が1-1でもふれたように自動車産業などと比較して小さいことがあると思います。荷姿が小さいため、船舶や鉄道に頼る必要はありません。そのため、半導体工場は内陸で高速道路に近いところにあることが多いです。もっとも海の近くは半導体プロセスの大敵であるナトリウムが多いので敬遠されていることもあります。

8-5 欧州メーカは垂直統合型？

パワー半導体の分野では欧州のメーカが健闘しています。次世代半導体用ウェーハの開発にも色々なメーカが参入しており、強みの背景になっています。そこで代表的な欧州メーカの動向を探ります。

▶▶ 主な欧州メーカ

8-2でふれましたが、欧州メーカは大きな浮き沈みもなく、トップ10に数社がランクインしています。ドイツのジーメンス（英語読みではシーメンス）から分離独立したインフィニオン、イタリアとフランスの会社が合併したSTマイクロ、更にオランダのNexperiaが図表8-2-1に示したように三強といえます。Nexperiaはもともとオランダのフィリップスという有名な電機メーカの半導体部門が独立して2006年にNXSという会社になりましたが、その流れを汲んで2017年に独立しました。このように名前は変わってもパワー半導体メーカとして生き残っています。

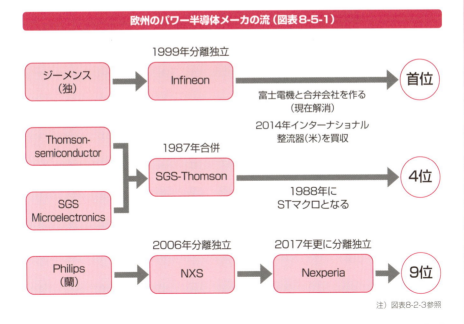

欧州のパワー半導体メーカの流（図表8-5-1）

注）図表8-2-3参照

8-5 専業メーカが生き残る？

図表8-5-1で3社の流れを比較しますが、やはり国を代表する総合電機メーカやエレクトロニクスメーカを母体としている点が我が国などと似ているところかと思います。欧州全体の人口は5億人ですから、我が国の半導体メーカは多すぎるともいえるし、逆の見方をすれば健闘しているともいえます。

▶▶ 分離独立を促進？

例に挙げた企業と我が国の半導体メーカを比較すると図表8-5-2のような比較ができるのではないでしょうか？

もちろん、我が国の場合は囲い込みモデルから脱却しつつある傾向ですが、まだグループ内でのシナジー効果を狙ってか囲い込みモデルの傾向が強いようです。どちらが良いというよりはそれぞれの歴史的背景などの事情があるのでしょう。インフィニオンなどは株式も公開にしているのはもちろんのこと、ジーメンスが保有している比率も数％台です。その方がしがらみに捉えられず、経営には良いという考えもあります。因みにジーメンス社は1847年創業の老舗で創業者はドイツ電気工学の父ともいわれるヴェルナー・フォン・ジーメンス＊（Werner von Siemens）です。我が国の歴史から見ると黒船来航以前の老舗ですが、暖簾(のれん)を替えても生き残るのに抵抗はないようで上述のように変革のスピードは速いようです。

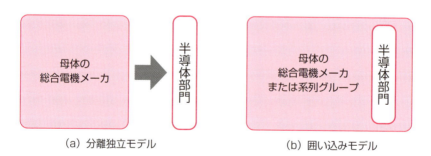

欧州と日本の半導体メーカの比較例（図表8-5-2）

(a) 分離独立モデル　　　(b) 囲い込みモデル

＊ジーメンス　彼の功績からコンダクタンスのSI単位はジーメンスである。人名がSI単位に残っているのはニュートンや交流送電のニコラ・テスラなどがいる。

共同研究が進む

　欧州ではIMEC（ベルギー）のような半導体関連の国際研究会社もあり、我が国からも参画している半導体メーカや製造装置メーカなどがあります。また、私見ではありますが、欧州は色々な国があっても言語・文字や宗教など共通点も多く、鉄道や道路が国境を越えて、つながっているので、我々の感覚からいえば、ひとつの国のようなものともいえます。

　個人的な体験で恐縮ですが、筆者も欧州のメーカと共同研究する機会が幸いにもありましたので、何度も欧州に行きましたが、道路や鉄道で移動しても国境で何かあるわけではなく、ドイツからスイス経由でフランスに行くのに道路の都合で一回オーストリアに入ってからスイスに出ることもありました。特にパスポートを見せることもなく通過した記憶があります。共同研究機関も色々と設置されております。人口も最大のドイツでも約8,000万人と我が国より少なく、オランダは1,600万人ほどの国であり、それぞれ独自の生き方を模索しています。欧州はひとつの大国であり、その中で「地方分権」が進んでいるという見方もありそうです。欧州全体で共同研究が進むのはそういう背景があるのかもしれません。

創業者の名前を社名に

　2022年の冬季五輪のフィギュアスケートでは「クワッドアクセル」がはやりの言葉になりました。トリプルアクセル時代からアクセルという言葉はありましたが、どういう意味なのだろうかとは思いませんでした。浅学を恥じ入るばかりですが、これは1892年にこの技を世界で初めて行ったノルウェーの「アクセル・パウルゼン氏」に敬意を表して彼の名を技の名に冠したそうです。体操の技にもそういう事例があります。筆者の年齢ですと東京五輪（20世紀のです）の「山下跳び」が印象に残っています。第6章で紹介した「チョクラルスキー法」や「Dash Necking」も発明者のDashの名を冠しています。

　一方、本書でも紹介したドイツのシーメンスやオランダのフィリップスも創業者の名前を社名にしております。我が国の会社でも多くの例は見られます。読者の方々の中から名を冠されるような発明や製品を世に出す人が現れることを祈っております。

8-6

米国メーカの動向

ここでは米国の代表的なパワー半導体メーカの動向を見ておきたいと思います。

▶▶ 米国の動向

簡単にふれておきます。米国は図表8-2-3にもあるようにオン・セミコンダクターやビシェイ・インターテクノロジーといった老舗が頑張っています。オン・セミコンダクターは、新しい会社と思うかもしれませんが、同社は米国の大手通信機メーカであるモトローラの半導体部門が独立して1999年に設立された会社です。モトローラは図表8-2-1に示したように1980年代には半導体メーカランキングのトップ5に入ったくらいの老舗です。

ところでオン・セミコンダクターが一気に2位に躍り出たのにはわけがあります。それは2016年にフェアチャイルドを買収したためです。フェアチャイルドはウィリアム・ショックレーの元を去ったノイスらが作った会社として有名で、LSIの

米国の代表的パワー半導体メーカの流れ（図表8-6-1）

```
                       2004年分離独立
2006年分離独立     LSI系  ┌─────────┐
                    ──→  │フリースケール│ ──→ NXSに2015年吸収合併
┌────────┐              └─────────┘
│モトローラ│
└────────┘       1999年分離独立
    ディスクリート系 ┌──────────────┐
    ──────────→ │オン・セミコンダクター│ ──→ (2位)
                    └──────────────┘
┌──────────┐ 2016年買収 ↑
│フェアチャイルド│ ────────┘
└──────────┘
    ↑ 2001年買収                 この間に
┌────────┐              ┌──────┐ 多くのメーカを買収
│Intersil社│              │Vishay│ ────────→ (9位)
└────────┘              └──────┘
```

注）図表8-2-3参照

8-6 米国メーカの動向

先鞭を付けた会社ですが、その後色々な経過もあり、2001年にインターシル（Intersil）というパワー半導体の会社を買収した後、他のパワー半導体企業も買収して、更にSiCを手がける会社も買収しました。このように企業買収で大きくなったメーカがフェアチャイルドです。それをオン・セミコンダクター*が2016年に買収したものです。その流れを図表8-6-1に示しておきます。

ビシェイ・インターテックは1962年創業のパワー半導体をはじめとするディスクリート半導体の最大手です。この会社も色々なメーカを買収してきた経緯があります。米国はM&Aが盛んですので、会社の名前などは変遷していることがありますが、古くからのパワー半導体メーカが生き残っているということでしょう。

世界に目を向けても同じ傾向

米国メーカも古豪が生き残っていると記しましたが、世界に目を向けてもそのような傾向です。もう一度、図表8-2-3に立ち返って見てください。そこにランクされているメーカはこれまで見てきたように米国や日本、欧州のメーカも名前こそ変わっていますが、多くが半導体産業創生時代からのメーカです。

このように昔の名前では出ていませんが、名前を変えてパワー半導体メーカとしてしぶとく生き残っているといえます。

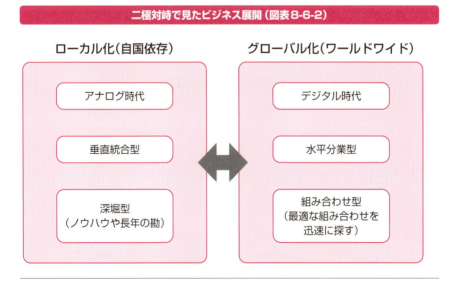

二極対峙で見たビジネス展開（図表8-6-2）

ローカル化（自国依存）
- アナログ時代
- 垂直統合型
- 深堀型（ノウハウや長年の勘）

グローバル化（ワールドワイド）
- デジタル時代
- 水平分業型
- 組み合わせ型（最適な組み合わせを迅速に探す）

＊**オン・セミコンダクター**　我が国でも三洋（現パナソニック）や富士通の半導体工場を買収した。

8-6 米国メーカの動向

高校野球にたとえると戦前からの古豪が旧制○○中学から新制○○高校に名前は変わっても相変わらず強豪として生き残っていることにたとえられると思います。

▶▶ グローバル化の流れ？

一方で8-5に記したようにインフィニオンは2014年に米国のパワー半導体メーカのインターナショナルレクティファイアーを買収しています。インターナショナルレクティファイアーはパワー半導体の専業メーカで、前節で述べたように日本企業との合弁会社もあります。レクティファイアー（rectifier）とは整流器のことで、インターナショナル整流器と表記されている場合もあります。米国だけでなくM&Aがグローバルに行われています。

欧州のメーカだけでなく米国のメーカも企業買収・吸収合併などで大規模化が進んでいます。それに対して我が国のメーカは動きが少ないように思えます。8-1で紹介したパラダイムシフトはローカル化かグローバル化かの切り口で見れば、ひとつの見方として図表8-6-2に示すようになります。これはわかりやすいように二極対峙の形で示したものです。

前記のような流れを見るとパワー半導体の分野もグローバル化が進む傾向です。気が付いたら我が国のメーカがガラパゴス化していたという未来は避けたいものです。

業界のニュースはとかくIT企業がらみの半導体メーカの動向に目が行きがちですが、これらのパワー半導体メーカの動向にも注目が必要です。更には第6章で述べたようなシリコン材料や第10章でふれる次世代半導体材料の開発にも絡んだ動きがあります。パワー半導体の動向にも目が離せません。

第 **9** 章

シリコンパワー半導体の発展

この章ではシリコンを用いたパワー半導体がどのように発展してきたかを具体的な例を挙げて説明します。併せて、現状の課題と対策についてもふれます。

図解入門
How-nual

9-1
パワー半導体の世代とは？

スポーツや政治などでよく「世代交代」ということが記事になったりしますが、パワー半導体も世代交代のようなものがあります。ここではシリコンのパワーMOSFETやIGBTの構造の変革を述べて、新しい材料のFETについて解説する第10章につなぎたいと思います。また、色々なパワー半導体の用途にもふれます。

▶▶ パワー半導体の世代とは？

先端MOS LSIでは何nmノードとかハーフピッチ＊（hp）何nmとか色々と世代交代の話題が盛んに行われてきました。実はパワー半導体でも世代交代が進んでいます。ここでは様々な例を取り上げて全体を俯瞰したいと思います。

MOSFETは1970年代から（もっと古くからという考えもあると思います）パワー半導体として登場しました。通常のMOSトランジスタのような横型から縦型へ、縦型の**プレーナ（planar）型**から**トレンチ（trench）型**へと変化してきました。その分類を図表9-1-1に示します。

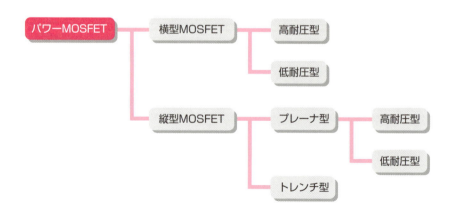

パワーMOSFETの分類（図表9-1-1）

＊**何nmノードとかハーフピッチ** どちらも微細化の進捗を表す用語。数字が小さい程、微細化が進んでいる。

9-1 パワー半導体の世代とは？

　3-4でMOSFETの構造の変化を説明しました。パワー半導体は先端MOSトランジスタのように微細化を追求するものではありませんが、やはり全体として電力変換装置の小型化を図る必要があり、プレーナ型からより小型化しやすいトレンチ型へのスケールダウンが進んでいます。図表9-1-2にそれを示します。この傾向は後で取り上げるIGBTでも同じです。また、パワーMOSFETでも1μmを切った、いわゆるサブミクロンのものも現れています。ただし、先端MOSトランジスタは既に数nmのオーダーですので、微細化の桁は違います。

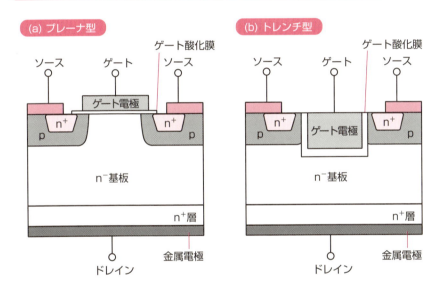

パワーMOSFETのプレーナ型とトレンチ型の例（図表9-1-2）

▶▶ 電力損失の低減とは？

　パワー半導体の原則論にもう一度立ち返ります。パワー半導体は「電力の変換」を行うデバイスであるということを何度か記してきました。

　ところで、パワー半導体はこれからの環境・エネルギーの時代を支えるデバイスになるわけですから、駆動時の消費電力を低減することが重要であり、低損失、すなわち**変換効率**の向上が鍵になります。特に3-4にも記しましたが、高速スイッチング領域では損失が大きくなりますので、なおさらです。

9-1　パワー半導体の世代とは？

　しかし、MOSFETはバイポーラトランジスタに比較すると電圧駆動なので、駆動電力は低いのですが、高速スイッチング時に大きくなるのが問題です（もっとも、バイポーラトランジスタに比べると駆動電力は低いです）。図表9-1-3にそれを模式的に示しておきます。9-7でもふれますが、パワー半導体で電力変換の際にロスする分は熱になり、それを冷却するために余分なエネルギーを使用するということになります。したがって、如何に変換効率を上げるかが重要になります。

バイポーラトランジスタとMOSFETの駆動電力（図表9-1-3）

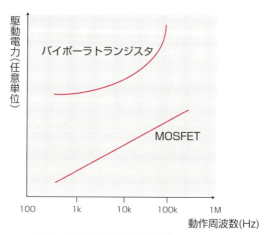

出典："パワーMOS FETの応用技術"山崎浩、日刊工業新聞社（1988）

9-2

IGBTに求められる性能

世代交代の例としてパワーMOSFETの微細化、小型化の後は3-5でふれましたが、パワーMOSFETからIGBTへの変遷の例を説明しておきましょう。

▶▶ MOSFETの欠点

MOSFETの最大の特徴は高速スイッチングが可能になり、数MHz（メガヘルツ）の高速動作が可能ということは3-4でもふれました。ただ、高耐圧化には向いていないので数kVA以下の小～中電力領域での利用が主になります。

なぜ、高耐圧化に向いていないかというと、**オン抵抗**を低減するには不純物濃度を高くするとか、チャネル長を短くする方法が主流なので、原理的に高耐圧化には向いていないという理解で良いと思います。

そのため、3-5で述べたようにパワー半導体の応用範囲が広くなる中で比較的大電力領域でも高速スイッチングが可能なものが求められてきました。そこで1980年代後半に登場してきたのがIGBTです。IGBTは上部のMOSFET部でスイッチング動作を行いますが、実際にはその下部のバイポーラトランジスタ部を電流が流れるので、比較的大電流を流すことができ、耐圧も大きく取れるわけです。

▶▶ IGBTの世代交代

IGBTが使用されるようになるとインバータ動作時の電力損失の低減も課題になりました。本書では詳しくふれませんが、IGBTの世代交代は電力損失を如何に低減するかで、世代交代が進んできたといえます。この間、**電力損失**は約1/3に低減されてきました。図表9-2-1にIGBTの電力損失の内訳を示しますが、インバータ動作時のスイッチングによるオン・オフ時の損失と導通時の損失の和になっています。

これらのうち、スイッチングによる損失は**飽和電圧**＊とのトレードオフになっており、IGBTの性能を表すときによく出てきます。図表9-2-2にその模式図を示しておきます。

＊**飽和電圧**　IGBTのバイポーラトランジスタがオンして、飽和領域になった際のエミッタ～コレクタ間の電圧。

9-2 IGBTに求められる性能

IGBTの電力損失の内訳（図表9-2-1）

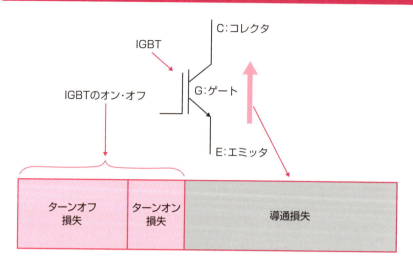

飽和電圧とスイッチング損失のトレードオフ（図表9-2-2）

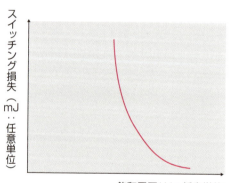

注）IGBTの飽和電圧を$V_{CE}(sat)$、ターンオフスイッチング損失をE_{OFF}と表すことがある。SatはSaturation（飽和）の略。

9-3 パンチスルーとノンパンチスルー

次にIGBTのパンチスルー型とノンパンチスルー型の例を説明しておきましょう。業界誌や特許などを読むとよく出てくる用語ですので、ここで説明しておきます。

▶▶ パンチスルー型とは？

パンチスルー（punch through）とは一般にはMOSトランジスタで使用される用語で、もともとゲート電圧を印加しオンしたMOSトランジスタのドレイン電圧V_Dを高くしていくとドレインの空乏層が大きくなってチャネルがドレイン端で消失し、ドレインの空乏層がソースまで延びてしまいますが、ソース～ドレイン間には電流が流れる現象のことです。MOSトランジスタをご存知の方はおわかりだと思いますが、参考までに図表9-3-1に挙げておきます。

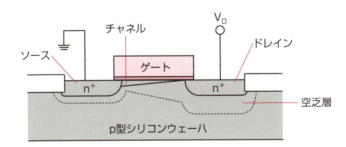

MOSトランジスタのパンチスルー状態（図表9-3-1）

IGBTでいうパンチスルー型とはIGBTがオフの際に、コレクタ側まで空乏層が延びることをいい、1980年代に考えられた方法です。

その構造を図表9-3-2に示します。この場合はコレクタ層にエピタキシャル成長層を使用するので製造コストが高くなります。しかし、オフ時にコレクタ側からベース領域に少数キャリアが注入され、再結合作用により**ライフタイムコントロール**が可能な点がメリットです。ライフタイムコントロールとは、パワー半導体の場合は何度か書いたように電流（すなわちキャリアの数）が大きいので、オフ時に過剰

9-3 パンチスルーとノンパンチスルー

なキャリアが残ります。この過剰キャリアを処理するのが課題になっているわけです。この場合はコレクタ側からの少数キャリアの注入により行われるわけです。これがデジタル信号を取り扱うMOS LSIとの違いでもあります。しかし、それが逆に高温での駆動を不可にしている理由になります。高温だと熱励起によりキャリアが更に発生するからです。

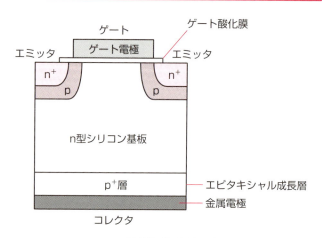

パンチスルー型の模式図（図表9-3-2）

注）以降、特に記さないがn型シリコン基板はn⁻。

▶▶ ノンパンチスルー型とは？

パンチスルー型はエピタキシャル成長を用いるのに対して、ノンパンチスルー型はウェーハプロセスが従来のものと異なってきます。ノンパンチスルー型を製造するにはウェーハを薄くして、裏面から不純物を導入する必要があり、1990年代中頃から作られました。このため、**ウェーハ薄化**というプロセスと裏面に不純物を注入した後の不純物活性化を行う裏面アニーラーを必要とします。これらについては第7章でふれました。また、ノンパンチスルー型と呼ぶのはIGBTがオフの際にコレクタ側まで空乏層が伸びない構造になっているからです。

ノンパンチスルー型の断面の模式図を図表9-3-3（図はウェーハの厚さ方向は無視して描いています）に示しますが、n⁻層のFZウェーハの表面にエミッタ、ベー

9-3 パンチスルーとノンパンチスルー

ス、ゲートをそれぞれ形成した後、ウェーハの裏面を研磨（後工程でいうバックグラインドのようにかなり研磨します）して所望の厚さにした後に、その研磨面からp型領域を作るためB（ボロン、硼素ともいう）を注入して、活性化の裏面アニールを行います。これがコレクタ層になるわけです。この際、p層の濃度をあまり上げないようにしているのがノンパンチスルー型です。エピタキシャル層を使用しないので、結晶欠陥も少なく、コストを抑えられるというのですが、裏面注入や裏面研磨があるので、その分の製造コストが気になります。

なお、ウェーハを薄くした後のウェーハのハンドリングは通常の厚さのものとは異なり、ベルヌーイチャック＊を用いた非接触のハンドリングが用いられます。

なお、パンチスルー型をPT型、ノンパンチスルー型をNPT型と略記することもあります。

ノンパンチスルー型の模式図（図表9-3-3）

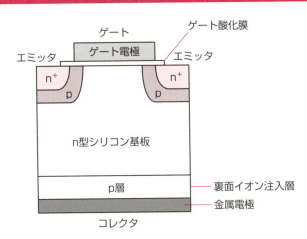

製造プロセスについては紙面の都合上、詳しくはふれられませんが、フィールドストップ型も含め、7-4で簡単に述べておきましたので、第7章と合わせて参考にしてください。

また、パワー半導体のように大電流を扱うには、オフ時の過剰キャリアの処理に対応する必要があり、デバイス構造が複雑になることがわかっていただけたかと思います。

＊ベルヌーイチャック　ベルヌーイの原理を用いたもので、ウェーハの上下から加える圧力を調整することで上向きの揚力を発生させ、ウェーハの保持を行う。

9-4 フィールドストップ型の登場

次に登場するのはフィールドストップ型です。これは更にオン抵抗の低減を図るために工夫されたものです。

▶▶ フィールドストップ型とは？

「フィールドストップ型」とは聞きなれない用語だと思います。筆者の知る限りではIGBTの分野での用語です。フィールドストップ型は2000年代になって登場しました。狙いはオン抵抗の低減と高速スイッチングです。実はこれまで説明したIGBTの図でもフィールドストップ層が出てきています。もう一度、図表9-4-1に掲載したプレーナ型のIGBTの断面を見てください。コレクタ層（p^+層）の上にn^+層が形成されていることがわかると思います。これが実はフィールドストップ層で文字どおり電界を止める役目をします。

フィールドストップ型では、9-2でもふれたオン時のコレクタ～エミッタの飽和電圧V_{CE}を低くできるので、スイッチング損失を低く抑えることができるのが特徴です。

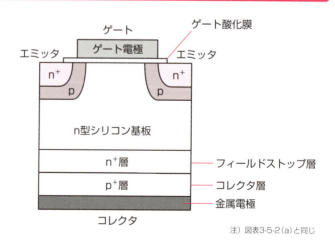

フィールドストップ層（図表9-4-1）

注）図表3-5-2（a）と同じ

フィールドストップ型のプロセス

　フィールドストップ型のIGBTを製造する方法はノンパンチスルー型と同様に、FZウェーハを薄くして、裏面から不純物を導入する必要があります。このため、ウェーハ薄化というプロセスと、裏面からの不純物の注入、その後の不純物活性化を行う裏面アニールプロセスを必要とします。ただし、ノンパンチスルー型と異なってくるのは、n^-層のFZウェーハの表面にエミッタ、ベース、ゲートをそれぞれ形成し、ウェーハの裏面を研磨して所望の厚さにした後の注入プロセスです。ノンパンチスルー型では研磨面からp層となるB（ボロン、硼素ともいう）しか注入しませんが、フィールドストップ型ではn^+層となるP（リン）を初めに注入し、その後にp^+層になるBを注入します。P（リン）がフィールドストップ層になることはいうまでもありません。

　その後、ふたつの不純物の活性化の裏面アニールを行います。この際はノンパンチスルー型と比較して、ふたつの異なるタイプの不純物の活性化を比較的厚い領域

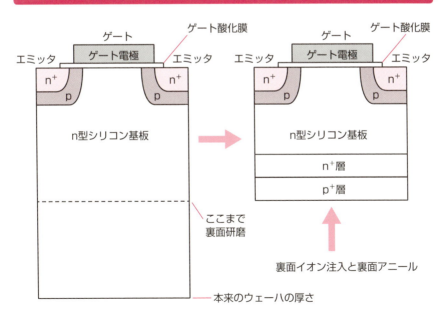

フィールドストップ型のプロセス模式図（図表9-4-2）

9-4 フィールドストップ型の登場

で行うため、裏面アニールプロセスが複雑になります。これなどはフィールドストップ型IGBT独特のプロセスともいえます。プロセスのイメージが湧かない方のために図表9-4-2に上記の要点をまとめてみました。参考にしてください。

ウェーハ裏面にもパターニングが必要な場合があれば、**両面アライナー**という装置が必要になります。MOS LSIの製造プロセスでは用いませんので、専業の光学メーカが参入しています。詳しくは7-4で説明しています。

なお、ウェーハを薄くした後のウェーハのハンドリングはノンパンチスルー型と同様です。

IGBTの製造プロセスはMOSFETに比較すると複雑というか、だいぶ異なるものであることがおわかりいただけたと思います。この点については、通常の半導体プロセス、とりわけMOSプロセスと異なる面があるということを第7章で更に述べました。

なお、パンチスルー型をPT型と略記するようにフィールドストップ型をFS型と略記する場合もあります。IGBTの発展形の原型は下部バイポーラトランジスタにかかる電界やその領域でのキャリア密度を用いて説明することが多いですが、それらはより専門の本に譲り、本書では考え方やその構造の違いを説明することにとどめました。

9-5

IGBT型の発展形を探る

　第3章でふれたIGBTも色々な発展形が出ていますので、ここで羅列的になりますが、紹介しておきます。まずはMOSFETと同様に微細化が進んでいるという現状です。

▶▶ プレーナ構造からトレンチ型へ

　3-5でIGBTの構造や動作原理を説明しました。少し復習になりますが、繰り返し説明しておきます。高速スイッチング可能なMOSFET型では構造上の制約から耐圧が低いという問題があります。そこで、比較的大電圧領域でも高速スイッチングが可能なものが求められてきました。

　そこで登場してきたのがIGBTで、その構造は大胆な見方をすれば、パワーMOSFETの下部にバイポーラトランジスタを付けたような形になっていると説明しました。もう一度、図表3-5-3を見ていただきたいのですが、シリコン基板側が下部からp^+-n^+-nの三層になっている（FS型）のが特徴で、このp^+（コレクタ）とn^+-n（ベース）とエミッタの下のp層で$p-n-p$のバイポーラトランジスタを形成しているわけです。しかし、上のMOSFETの部分を見ていただければわかりますが、これは、いわゆるシリコンウェーハ上にそのままゲート電極を形成したプレーナ構造と呼ばれるものです。ただ、この構造はオン抵抗が大きいため、90年代半ばから図表9-5-1に示すようにプレーナ型からトレンチ型になっています。トレンチとは溝という意味でシリコンウェーハ内に溝を作り、その中に図のようにゲート電極を形成していることから、この呼び名を使っています。このような構造をとることで、ゲートの下でのキャリア密度を向上させて、オン抵抗を低減させることができます。図には示していませんが、更に微細トレンチ型へと変遷しています。

▶▶ 更に登場するIGBTの発展型

　その後も各パワー半導体メーカから、新しい構造のIGBTが提案されています。よく知られた例を示しておきます。東芝では高耐圧のIGBTとしてIEGT（Injection Enhanced Gate Transistor：注入促進型絶縁ゲートトランジスタ）を採用しています。これはIGBTのベースとエミッタ領域の構造を工夫することで、キャリア密度

9-5 IGBT型の発展形を探る

を図表9-5-2の左側のキャリア密度に示したように向上させ、オン抵抗およびオン電圧の低減を図るものです。

また、三菱電機ではCSTBTを採用しています。CSTBTとはCarrier Stored Trench Bipolar Transistorの略で電荷蓄積型トレンチバイポーラトランジスタのことです。これも電荷蓄積層を図の中に示すように形成することでオン状態時にダイオードに近いキャリア密度を持つことができるため、オン抵抗を下げることができます。それぞれの構造を図表9-5-2に示しておきます。

この背景にはIGBTの課題である**飽和電圧**＊と**スイッチング損失**のトレードオフが挙げられます。つまり、飽和電圧を低減しようとすると9-2にも記しましたが、スイッチング損失が大きくなってしまうという問題のことです。ここで紹介した構造は、このトレードオフの低減の対策です。図表9-5-3に示すように如何にこの低減を図るかが課題です。ここに紹介したのはほんの一部ですが、IGBTの発展形の理解の参考になればと思います。

IGBTの構造 プレーナ型とトレンチ型（図表9-5-1）

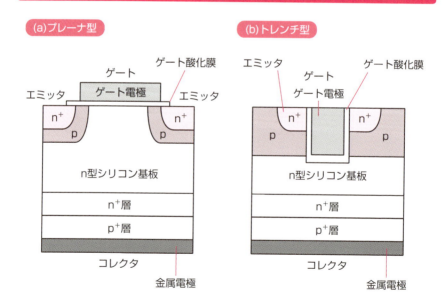

＊**飽和電圧**　9-2でもふれたが、補足しておくとIGBTのバイポーラトランジスタがオンして、飽和領域になった際にエミッタ～コレクタ間の電圧のことである。$V_{CE}(sat)$とカタログや論文で記載されている。

9-5 IGBT型の発展形を探る

IGBTの発展型の例（図表9-5-2）

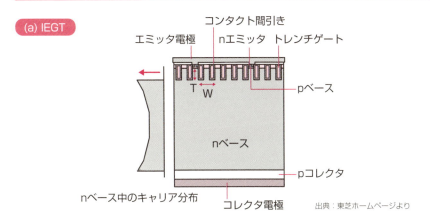

(a) IEGT

出典：東芝ホームページより

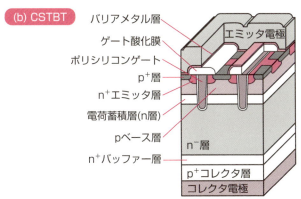

(b) CSTBT

出典：三菱電機ホームページより

飽和電圧とスイッチング損失（図表9-5-3）

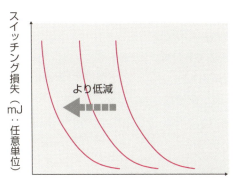

9-6
IPM化が進むパワー半導体

パワー半導体にはMOSトランジスタのようなLSI（Large-Scaled Integrated Circuit：大規模集積回路→1-5参照のこと）のような概念はありませんが、パワーモジュールという考えが替わりにあります。これはパワー半導体を集積化して特定の機能を有するひとつの単位というべきものです。

▶▶ パワーモジュールとは

　パワー半導体は単独で使用するのではなく、5-1に記したように制御回路、保護回路などと組み合わせることが必要になります。たとえば、サイリスタのところで説明したようにオンからオフにする際の転流回路が必要になるものがあります。これらのパワー半導体以外の回路も組み合わせて集積化するという考えが**パワーモジュール**です。

　ひとつの例として前節で取り上げたIGBTのモジュール化の例を示します。

　たとえば、IGBTでは7-4でふれた**還流ダイオード**が必要になりますが、図表9-6-1に示すようにあらかじめ、還流ダイオードと組み合わせてパッケージ化して、パワーモジュールとして製品化されるようになっています。パワーモジュールという考えが浸透し始めたのは80年代のことです。これをひとつの回路で描くと図表9-6-2のようになります。この件は第10章でも出てきますので、頭に入れておいてください。

▶▶ IPMとは

　1990年代にはIPMというパワーモジュールが開発されました。IPMとはIntelligent Power Moduleの略です。

　IGBTモジュールに最適なドライブ（駆動）機能を有したものもありますし、自己保護機能や自己判断機能を有したものも出ています。これにより、ユーザーは制御回路や保護回路の設計が不要になり、使いやすくなるというメリットがあります。

　ただ、自動車用や電車用、エアコン用など、使用環境の違いによりパワーモジュールに要求される仕様も異なってきます。そこで、パワー半導体メーカでは色々な

9-6 IPM化が進むパワー半導体

IPMをラインナップ化しているのが現状です。図表9-6-3にその中の例を示します。この例はパワーモジュールをケースに収納した後、制御基板を集積し、その上からエポキシ樹脂でパッケージしたものと思われます。外部端子も見えますが、大電流を流すだけあって、通常のLSIなどに比較すると大きいことがわかります。ぜひ、色々なパワー半導体メーカのカタログをご覧ください。パッケージの大きさや種類やピンの数なども様々で、図表の例以外にもDIP＊のものもあります。

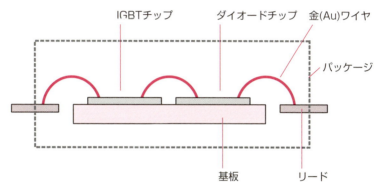

パワーモジュールの例（図表9-6-1）

ひとつにパッケージ化する

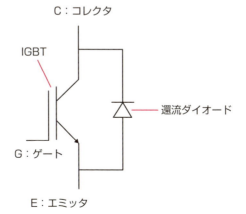

パワーモジュール回路図（図表9-6-2）

＊DIP　Dual Inline Pinの略でパッケージの縦長方向の両側にアウターリードが付いているタイプ。昔のLSIはこのタイプが主流である。

9-6 IPM化が進むパワー半導体

IPMの例（図表9-6-3）

写真提供：三菱電機株式会社

　更にIGBTのパワーモジュールの例で述べるとIPMも前記のように色々な用途のものがラインナップされており、4-4で紹介したEV車用とか高耐圧用とか色々あります。AS-IPMといって、ユーザー仕様に合わせたものもあります。ASとは、Application Specificの略で、MOSロジックLSIのASIC（Application Specific IC）に相当します。

　これまでの説明でおわかりのとおりパワーモジュールやIPMは、パワー半導体「チップ」を中心に還流ダイオードをはじめとする他のチップをひとつのパッケージに収納するものであり、「ひとつのチップ」に色々な機能のLSIやLSIを中心としたその駆動回路などを組み込むMOS-LSIの考えとは異なります。

9-7

冷却とパワー半導体

ここではパワー半導体の損失が発熱になり、それを冷却するシステムが必要になるということを説明します。

▶▶ 半導体と冷却

　半導体と発熱は切っても切れない関係です。比較的大きい電力を扱うトランジスタはヒートシンク付きで用いられます。オーディオアンプやスイッチング電源での出力トランジスタの後ろには大きなヒートシンクが付いているのが見られます。

　パワー半導体ではないですが、読者の皆さんの身近な例として、PCを操作していると突然冷却用のファンの回る音が聞こえることはありませんか？　これは最先端のロジックではトランジスタでの発熱というよりは多層配線による発熱が問題になり、動作中に熱が発生した際、冷却ファンが作動するための現象です。

　1990年代半ば、初めてIntelのPentiumのパッケージを見たとき、生け花で使用する小型の剣山のようなヒートシンクらしきものが付いていたことを覚えています。ましてや、大きな電力を扱うパワー半導体では発熱が大問題であることは直感的に理解できるのではないかと思います。いくら高効率のパワー半導体でも多少は熱に変換されます。周辺が高温になりやすい、特に4-5などで述べたHVやEV用のパワー半導体（モジュールも含め）では更なる高温対策が必要になるなど、個々のケースで色々と異なります。ここでは一般的な対策にふれておくにとどめます。

▶▶ 色々な冷却対策

　従来の例を挙げれば際限ないくらいの例がありますが、そのうちのいくつかの例を挙げておきます。ひとつの例としてヒートシンクの例を図表9-7-1に示します。ヒートシンクは平板状の部分にパワー半導体を搭載して、そこから発生する熱を多くの放熱フィンから放出するものです。ヒートシンクを強制的にファンで空冷したり、水冷したりするものがあります。

　また、市販されているものの中にはヒートパイプ*を用いた例もあります。図表9-7-2に示しておきます。もちろん、これらパワー半導体モジュールの積層など集

---

*ヒートパイプ　内部の作動液を用いて熱を移動させることで冷却を行う。

9-7　冷却とパワー半導体

合体で使用する場合はフードなどに内蔵し、ファンで空冷したり、熱交換器で冷却するケースもあります。このようにパワー半導体と冷却は切っても切れない関係です。

ヒートシンクの例（図表9-7-1）

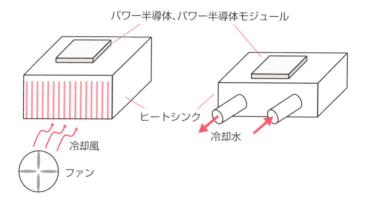

ヒートパイプを用いた冷却モジュールの例（図表9-7-2）

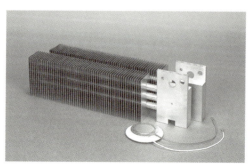

写真提供：古河電気工業株式会社

第10章

シリコンの限界に挑む SiCとGaN

この章ではシリコンに替わるパワー半導体材料であるSiCやGaNを用いたパワー半導体の現状と課題を解説します。

10-1 8インチ径も出てきたSiCウェーハ

ここでは最近パワー半導体用に用いられつつあるSiCウェーハについて解説します。8インチウェーハでの量産も始まるといわれています。

▶▶ SiCとは？

SiC（炭化珪素）とは、どのような性質を持つのでしょうか？ 既に6-1で述べたようにC（炭素）とSi（シリコン：珪素）は同じⅣ族の元素です。最外殻電子の数はどちらも同じ4個で、安定な共有結合を作ります。したがって、SiCは安定な化合物であり、シリコンと同じような構造の立方晶単結晶を作ります。

▶▶ SiCの登場はパワー半導体以前から

最近、シリコンの限界が懸念され、パワー半導体材料としてSiCが注目されていますが、SiCは半導体材料としては以前から注目されています。それはSiCが次節のGaNなどとともに**ワイドギャップ半導体**材料の範疇に分類されるからです。

ワイドギャップ半導体というのは少し難しい話になりますが、シリコンの固体物性でいうところの**価電子帯***と**伝導帯***のバンドギャップ（これを電子が存在しない領域という意味で禁制帯と呼びます）が大きい半導体材料のことです。図表10-1-1にシリコンとの比較で示します。

半導体材料とエネルギーギャップのモデル図（図表10-1-1）

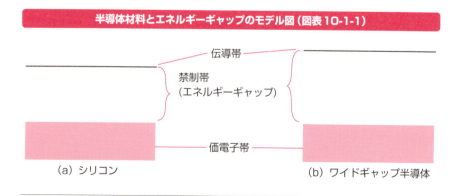

(a) シリコン　　　　　(b) ワイドギャップ半導体

---

* 価電子帯　電子が詰まったエネルギーバンド。ここでは電子は自由に動けない。
* 伝導帯　電子が詰まっておらず、ここにある電子は自由に動き回れるエネルギーバンド。

10-1　8インチ径も出てきたSiCウェーハ

　なお、本書では半導体デバイスの動作原理にはエネルギーバンド図を使用しないで説明してきましたが、物性に関してはエネルギーバンドで説明します。

　ワイドギャップ半導体は温度耐性などが良く、色々な応用が考えられてきました。シリコン半導体では実現できない厳しい環境下での応用です。たとえば、宇宙開発の半導体素子などは厳しい環境の中で使用しするので、SiC半導体の応用が考えられていました。このようにSiC半導体の歴史は古いものです。

　パワー半導体市場ではシリコンが主であり、SiCは全体の5％にも満たない現状ですが、今後が期待されます。また、現状ではウェーハ径は6インチですが、8インチ化の動きも出てきつつあります。

▶▶ 色々な結晶があるSiC

　SiCの結晶には立方晶の他に通称4Hと6Hなど、色々な結晶があります。HはHexagonalの略で六方晶ということです。通常、パワー半導体ではこの4Hか6Hの結晶を使用します。現状は4Hが主流です。この説明は長くかつ難しくなるので、要点だけ記すと結晶のc軸*に対して取るSiCの基本構造は層状に規則的に並んでいます。その繰り返しが4層のものを4H、6層のものを6Hと呼びます。その概要を図表10-1-2に示しておきます。

　実際のSiCウェーハですが、シリコンと同様にSiCの場合も不純物をあらかじめ混入して導電性を向上させたウェーハを提供することが行われています。通常はn型を用います。SiCウェーハの製造法は次節でふれます。

　図表10-1-3にシリコンとSiCおよびGaNの各物性を比較したものを示します。バンドギャップが大きいほど、5-2で述べたように一般に耐圧は大きくなります。SiCやGaNはシリコンの約3倍ほどバンドギャップが大きいことがわかります。したがって、絶縁耐性の値はSiCやGaNでは、3.0MV/cmとシリコンの10倍の値があります。そこで耐圧でいえば、600V以下がGaNで、それ以上はSiCという予測もあります。

　なお、SiCやGaNの結晶の作製法については以前に出版した「図解入門よくわかる最新パワー半導体の基本と仕組み　材料・プロセス編」で少し詳しくふれていますので、ご興味のある人は参考になれば幸いです。

＊c軸　図表10-1-2の縦方向に当たる。

10-1 8インチ径も出てきたSiCウェーハ

SiC単結晶の4Hと6Hの違い（図表10-1-2）

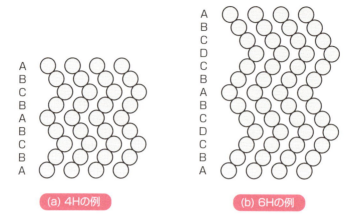

(a) 4Hの例　　(b) 6Hの例

▶▶ その他のSiCの特徴

　因みにSiCは材料としても興味深いものです。いわゆるファインセラミクスと呼ばれるセラミクス材料ですが、その強度、耐熱性から半導体製造プロセスにも使用されています。たとえば、ドライエッチング装置の電極やフォーカスリング*、CVD装置のサセプター*などです。いずれも従来の材料より高温でも用いることができるのがメリットになりエレクトロニクス材料として広く見ても面白い材料です。

パワー半導体材料の比較（図表10-1-3）

	Si	SiC	GaN
バンドギャップ (eV)	1.10	3.36	3.39
電子移動度 (cm^2/V・sec)	1,350	1,000	1,000
絶縁耐圧 (MV/cm)	0.3	3.0	3.0
飽和電子移動度 (cm/sec)	1×10^7	2×10^7	2×10^7
熱伝導度 (W/cmK)	1.5	4.9	1.3

* **フォーカスリング**　エッチング時のウェーハ面内の均一性を向上させるため、ウェーハ周辺に設置するリング。
* **サセプター**　　　　成膜の際に、成膜チャンバー内にシリコンウェーハを置くテーブル状の台。

10-2 SiCウェーハの製造方法

この節ではSiCウェーハの製造方法にふれます。後述のGaNとともにシリコンウェーハの製造方法とは全く異なります。

▶▶ 薄膜結晶とバルク結晶

SiCの結晶成長、特にパワー半導体への応用という面では1980年代にバルクの結晶、およびエピタキシャル成長による薄膜結晶成長技術の進展により発展しました。図表10-2-1に示しますが、バルク結晶と薄膜結晶の違いをここで簡単に説明しておきます。この章のSiCと後でふれるGaNではシリコンとは異なり、この両方が市場に存在するからです。それに対して、シリコンは第6章で説明したようにバルク結晶をまず作り、それから切り出した薄いバルク結晶であるウェーハが製品化されています。

バルク結晶と薄膜結晶（図表10-2-1）

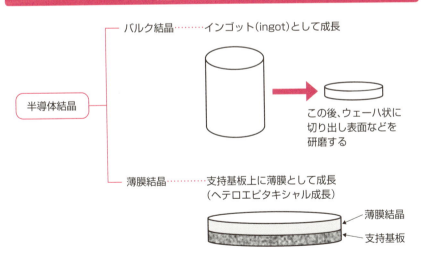

▶▶ 昇華法とは？

　このうち、バルク結晶を作る方法でいちばん歴史が古いのが表題に挙げた昇華法です。昇華とは固相から液相を経ないで気相に変化することです。なお、昇華法とは半導体業界で一般的にいわれている用語で、結晶の世界では改良レイリー（Lery；人名）法という呼び名もあります。

　SiCは常圧では液相が存在しません。昇華法はこのSiCの性質を利用した方法で図表10-2-2にその概要を示すように黒鉛坩堝の加熱により高温状態のSiCにしてSiCを昇華させ、それを種結晶の上に固相成長させる方法です。この場合、種結晶や成長した結晶のサセプターも2,000℃以上に加熱されているのがミソです。更にはここでは黒鉛坩堝を用いますが、黒鉛坩堝自体が炭素主体でできているので、いくら温度を上げても溶出するのは炭素となります。炭素はSiCの成分にも含まれますので、問題になることはありません。これはCZ法でシリコン結晶を成長させる際に石英坩堝から酸素が溶出するのとは異なります。

　余談ですが、何ゆえ黒鉛と名付けたかは不明です。もちろん鉛ではありません。黒鉛を扱う業界では石墨（Graphite）＊といっているようです。

昇華法の概要（図表10-2-2）

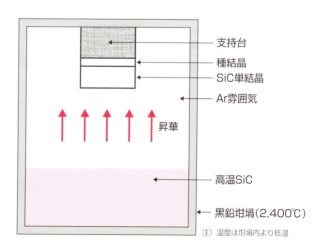

注）温度は坩堝内より低温

＊**石墨**　日本黒鉛工業のホームページを参考にした。

なお、種結晶は結晶方位を揃えるためには必要なもので、これは第6章で記したようにシリコンでも変わりません。

実際のSiCウェーハですが、SiCの場合も不純物をあらかじめ混入して導電性を向上させたウェーハを提供することが行われています。通常はn型です。また、かなりの高温で種結晶に昇華したSiCを固相結晶させる方法ですので、炉を大きくすると温度のばらつきなどから結晶欠陥の発生も多くなり、大口径化には向いていないことも課題です。薄膜結晶についてはGaNでふれます。

▶▶ 溶液成長法

研究開発段階ですが、表記の方法にふれます。昇華法は製造コストがかさみ欠陥も多いといわれています。「溶液成長法」と呼ばれている方法は図表10-2-3に示すようにSiCは常圧では液相が存在しないので高温で溶融状態にしたシリコンに炭素坩堝からの炭素を取り込み液相から種結晶上に結晶成長させる方法です。今後の動向が注目されます。

溶液成長法の概要（図表10-2-3）

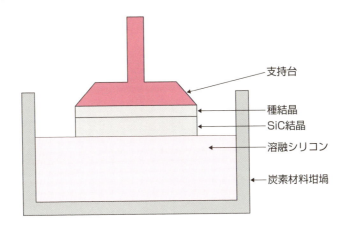

10-3 SiCのメリットと課題とは？

シリコンよりも耐圧が大きいということで、SiCが注目されていますが、SiCウェーハの価格以外の技術的な課題を材料的な面から解説します。

▶▶ SiCのメリット

　SiCのメリットはシリコンパワーMOSFETの材料的な限界をシリコンからSiCに基板材料を替えることでブレークスルーを図るものであることは、これまでふれたとおりです。更にSiCのメリットのひとつは、多少の違いはあるものの、シリコンMOSFETのプロセスを踏襲できることが考えられます。一方でデメリットとしては、シリコンのように種々の不純物領域を作り、IGBTのような構造を作りにくいという面はあります。材料面でのデメリットともいえます。

　更にSiCのメリットとしては、図表10-1-3で示したようにシリコンと比較すると10倍の絶縁耐圧があることです。ということは絶縁耐圧用の低不純物領域の厚さを1/10にできるわけですから、デバイスの小型化が図れます。それを図表10-3-1に示します。

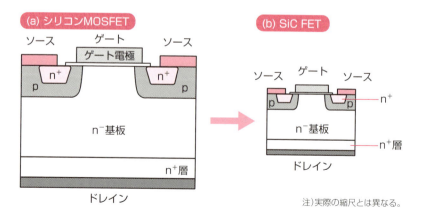

材料を変えることでのパワー半導体の小型化（図表10-3-1）

注）実際の縮尺とは異なる。

10-3 SiCのメリットと課題とは？

一方、別の視点に立てば、同じ大きさなら10倍の耐圧が得られるということになりますから、大電力の高速スイッチングにも向いています。更に耐熱性も向上するので高温での動作も可能になります。

▶▶ SiCのFETの構造

SiC FETもシリコンパワーMOSFET同様、大きな電流を流しますので基板方向に縦に電流を流すタイプの構造になっています。図表10-3-2にMOSFETの二重拡散型に相当する構造のSiC FETの模式図を示します。同じ構造を採るので、シリコンMOSFETのプロセスを踏襲できるメリットがあるということがおわかりいただけると思います。

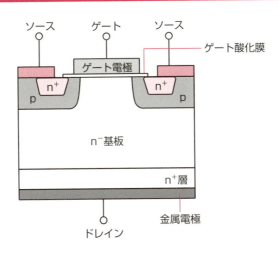

プレーナ型SiC FETの模式図（図表10-3-2）

一方で更に小型化を指向して、図表10-3-3に示すようにトレンチ型の構造も実用化されています。これもシリコンMOSFETの方向性と同じものです。

▶▶ 課題も山積

しかし、課題も山積しています。ひとつはオン抵抗です。これまで試作されたSiCのパワーMOSFETのオン抵抗は理論的限界値よりは、まだかなり大きいものに

10-3 SiCのメリットと課題とは？

なっています。これはひとつにはSiO$_2$/SiC界面は、シリコンのMOSFETの場合のSiO$_2$/Si界面のように界面準位＊の少ないものができていないことが考えられます。図表10-3-4にSiO$_2$/Si界面の模式図を示しますが、それぞれの結合の手の数の差からダングリングボンドという未結合手が形成されています。SiO$_2$/SiC界面の場合は更にこのダングリングボンドが増えている可能性があります。

一方、上記の原因はまだチャネル移動度が低いことに原因があると考えられています。現在、SiCの代表的な結晶は4Hと呼ばれる六方晶形のものですが、同じ4Hでも結晶面の違いでチャネル移動度が異なるのが今後の課題です。

トレンチ型SiC FETの模式図（図表10-3-3）

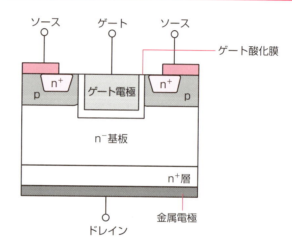

SiO$_2$/Si界面のモデル（図表10-3-4）

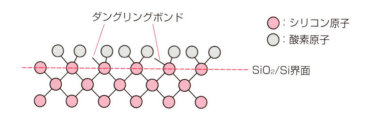

＊**界面準位** 半導体と絶縁膜界面にできる準位で、キャリアがトラップ（捕獲）されるためデバイスの特性を低下させる。

10-4
実用化が進むSiCインバータ

前節で述べたようにシリコンに変わる材料として、SiCが注目されています。ここではシリコンからSiCパワー半導体への実用化を図る場合の例を紹介しておきます。

▶▶ SiCの応用

色々応用はあるのですが、SiCのもうひとつのメリットとして高耐熱性ということが挙げられます。特に自動車のように内部が高温になる場所では、そのメリットが活かされます。ここでは耐熱性なども考慮して、11-4でふれる電気自動車（EV）のモータ用のインバータに応用する例を示します。現状はシリコンのIGBTなどが使用されていますが、SiCにすれば更に小型化が可能でエコ対策になりますし、電力損失も低減できるので、更なるエコ対策になるというものです。4-4にも記しましたが、EVでは車載の電源はバッテリーになるので、直流電源です。それを、まずコンバータで昇圧し、更にインバータで誘導モータ用の三相交流に変換する必要があります。昇圧・降圧の必要性は4-4で説明していますので、ここでは実際の昇圧・降圧の原理と回路を説明します。図表10-4-1を見てください。

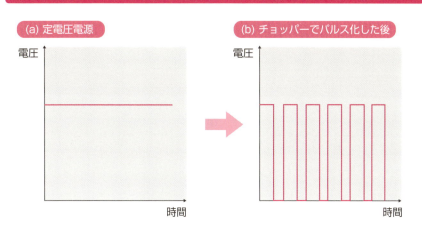

昇圧・降圧チョッパーの原理（図表10-4-1）

10-4　実用化が進むSiCインバータ

まずはトランジスタなどのスイッチング作用を利用して、図表10-4-1のように直流電圧をチョッパー（chopper）でパルス化します。チョッパーとは空手チョップと同じ語から来ているように文字どおり、細切れにしてパルス化するわけです。次にこのパルス化した直流電圧を降圧・昇圧するケースについてふれます。

降圧チョッパーではトランジスタがオンになると負荷は高電圧電源（E_H）につながり、オフになるとダイオード経由で低電圧電源（電圧E_L）につながります。オンのときは図表10-4-2(a)の左側の回路を、オフのときは図の右側の回路を電流が流れるわけです。オンとオフの時間比（デューティー比）を替えてやると電源より低い電圧に変換することができます。

昇圧の場合は紙面の関係上、省略しますが、オン・オフ比を替えて望みの電圧にするところは同じです。要はパワー半導体の高速スイッチング動作をうまく利用するものと理解してください。降圧と昇圧の場合は図表10-4-2に示すように高電圧電源と低電圧電源の配置を替えています。

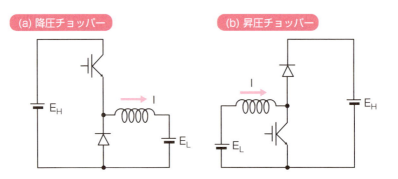

電圧変換のチョッパー回路の例（図表10-4-2）

(a) 降圧チョッパー　　(b) 昇圧チョッパー

一方、SiCインバータによる交流化の場合を図表10-4-3に示します。直流電源を図に示すような回路で三相交流化して、誘導モータを駆動します。ここでは便宜上、シリコンのIGBTを使用した例で示します。なお、ダイオードが組み込まれていますが、これは「還流ダイオード」と呼ばれ、IGBTがオフになったときに過剰な電流を還流するためのものです。これもIGBTのところに書ききれなかったので、ここで補足させてもらいました。このIGBTとダイオードの組み合わせをSiC化するわけです。

10-4 実用化が進むSiCインバータ

インバータによる誘導モータ駆動の回路図（図表10-4-3）

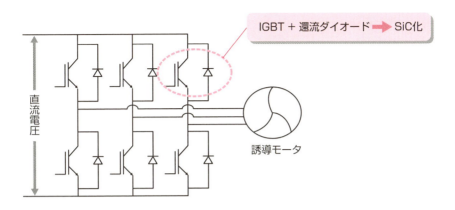

最後にSiCとシリコンの棲み分けですが、図表10-4-4に模式的に描いておきましたが、シリコンが果たせない領域をカバーすることが考えられています。これは次に述べるGaNも同じです。

SiCのカバー領域の模式図（図表10-4-4）

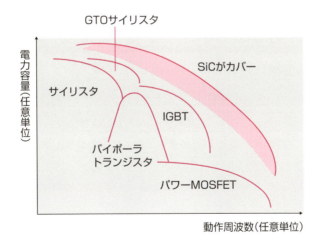

出典：種々の資料に基づき作成

第10章 シリコンの限界に挑むSiCとGaN

10-5
GaNウェーハの難しさ
――ヘテロエピとは？

　ここでは最近パワー半導体用としてSiCとともに注目されているGaNについて説明します。

▶▶ GaNとは？

　窒化ガリウム（GaN）は、Gaが短周期律表のⅢ族の元素でNはⅤ族の元素です。図表6-1-1をもう一度見ていただけるとわかると思います。したがって、Ⅲ-Ⅴ族の化合物半導体の仲間に入ります。図表10-1-3に示したようにSiCと同様に3.39eVという大きな**バンドギャップ**（band gap）を有します。

　GaNというとノーベル物理学賞の青色半導体レーザですっかり有名になりました。ブルーレイレコーダもGaNレーザを使用しています。窒化ガリウム系（GaN）半導体は、青色や緑色発光ダイオード、紫色レーザ、紫外線センサ、超高周波パワートランジスタ、高効率電力変換素子、耐環境素子などとして21世紀の高度情報化社会に必須となる半導体材料です。

　また、特筆すべきは窒化ガリウム（GaN）が無毒な材料であり、従来の化合物半導体と置換すべき材料といわれています。

▶▶ GaN単結晶の作り方

　実際のパワー半導体用のGaNウェーハは、GaN単体のウェーハでは2インチ程度を作製できるのがやっとであり、産業ベースには合いません。

　そこでシリコンウェーハの上にGaNを**ヘテロエピタキシャル成長**させる方法を用います。エピタキシャル成長については、7-3を参考にしてください。

　通常のエピタキシャル成長をホモエピタキシャル成長といいます。ホモ（homo）とは「同質の」という意味があります。対して、ヘテロ（hetero）とはその逆の「異質の」という意味です。ただ、あくまでもヘテロエピタキシャル成長に対する呼び方で、通常、エピタキシャル成長といえば、ホモエピタキシャル成長のことです。

　図表10-5-1を見てください。ホモエピキタキシーの場合は同じシリコンの原子

10-5 GaNウェーハの難しさ—ヘテロエピとは？

を成長させるため、格子常数が同じですから、歪無く成長します。しかし、ヘテロエピタキシーの場合は、シリコンと格子定数の異なる原子を成長させるため、どうしても歪ができてしまいます。

図表10-5-1に示すようにシリコンとGaNでは結晶格子の間隔を示す格子定数の大きさがことなります。そこで、低温バッファー（緩衝層）の形成が鍵です。つまり、両者の格子定数の中間的な値を持つ物質の層をシリコンとGaNの間に緩衝層として形成するわけです。通常は格子定数の関係からAlGaNを使用します。

実際にGaNを用いてパワー半導体を作るときの課題は10-6で説明します。ここで説明したようにシリコン基板の上にGaNをヘテロエピタキシャル成長させる構造ですので、半導体デバイスとしての構造には制約を受けます。

一方、パワー半導体ではシリコンウェーハの上にヘテロエピタキシャル成長させる方法が一般的ですが、他の応用では、たとえばサファイア基板の上に成長させることもあります。

エピタキシャル成長のモデル図（図表10-5-1）

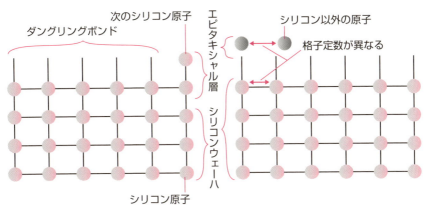

10-6

GaNのメリットと課題

SiCと同じようにシリコンよりも材料的に耐圧が大きいということで、GaNが注目されていますが、GaNのパワー半導体デバイスとしての材料面を主とした技術的な課題を解説します。

▶▶ デバイスの課題は色々

　GaNの場合もシリコンパワーMOSFETの材料的な限界を、シリコンからGaNに基板材料を替えることで、ブレークスルーを図るものであり、多少の違いはあるものの、MOSFETのプロセスを踏襲できるというメリットもあります。一方でSiCと同様にシリコンのように種々の不純物領域を形成してIGBTのような構造を作りにくいという面はあります。ここではデバイスの課題を見てゆきます。

　第一に、GaNでは**縦型**のFETの構造が困難という課題があります。現在公表されているものでは**横型**のFETです。なぜかというとウェーハの構造上の制約です。10-5でふれたようにGaN基板はSiウェーハ上にヘテロエピタキシャル成長して得られています。基本的にウェーハの厚さ方向にFETを作る縦型は困難です。

　一方で、縦型のFETの開発を行っているところもあります。この場合はもちろんGaNウェーハを使用するため、コストを比較すると縦型の方が高くなりますが、電流を縦方向に流せるため、出力は10kW以上と高いのがメリットです。したがって、たとえばEV用のインバータへの応用を考えた場合、高い電圧（大電力）の主機には縦型、低い電圧（小電力）で良い補機には横型という将来構想を自動車メーカは考えているようです。なお、主機、補機については4-4をもう一度見てください。縦型、横型の構造を図表10-6-1に示しておきます。少し説明を加えると、横型の場合はシリコンの上にヘテロエピタキシャル成長させていますので、**バッファー層**を挟んでいます。図のi型とは意図的にn型やp型の不純物を含んでいないという意味で、iはintrinsic（真性領域）の略です。もっともGaNの場合は図示していませんが、ソース、ドレイン電極とオーミックコンタクト*を取るためにn型のAlGaNをやはりヘテロエピタキシャル成長させています。

　GaN FETではデバイスの信頼性という問題もあります。車載用に応用する場合

---

* オーミックコンタクト　金属電極と半導体がオームの法則が成り立つ伝導性があることをいう。反対はショットキー接合。

は特に通常より厳しい信頼性が必要です。

縦型と横型のGaN FET（図表10-6-1）

その他の課題

　電流コラプス（collapse）という課題もあります。これはむしろ、10-6で簡単にふれるGaNのHEMTでも問題になることですが、低電圧動作時のオン抵抗に比較して、高電圧動作時のオン抵抗が高くなってしまう現象です。これは高電圧動作時にキャリアである電子がチャネルから飛び出して、半導体領域と表面保護層の間の界面にトラップされることによると考えられています。そのメカニズムを図表10-6-2に示してみました。パワー半導体に応用した場合は電力損失になるので、避けなければならない現象です。表面保護層の形成法の工夫などで対策を考えています。

電流コラプス（図表10-6-2）

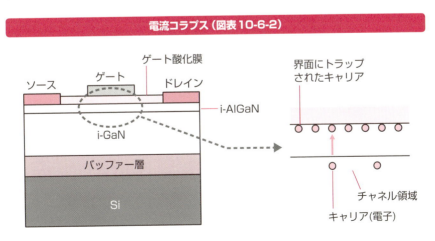

10-7

GaNでノーマリーオフへ挑戦！

ここでもGaNでパワーMOSFETを作ったときの技術的な課題を解説します。それがノーマリーオフ化です。これはGaNでのみ問題になることです。

▶▶ 蓋が閉じなくては困る

まず、**ノーマリーオフ**＊とは何でしょう？ 3-4でもふれたようにMOSFETに詳しい人ならご存知だと思いますが、そうでない人もいると思いますので、まず簡単にノーマリーオフとその対比である**ノーマリーオン**にふれます。

ノーマリーオフ型とはMOSFETの用語でゲートに電圧を印加しない状態ではMOSFETがオフになっている状態のことです。この現象を「閉じる」とか「蓋ができる」とか現場ではいうこともあります。

これをMOSFETの**サブスレッショルド特性**というグラフにしてみると図表10-7-1に示すようになります。

ノーマリーオフとノーマリーオンの比較（図表10-7-1）

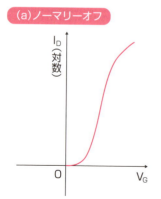
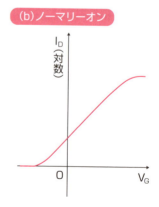

サブスレッショルド特性とは横軸にゲート電圧V_G、縦軸にドレイン電流I_D（オン電流）を対数でとったもので、MOSFETの電流が増加する目安を示す特性です。グ

＊**ノーマリーオフ** MOSトランジスタでは通報エンハンスメント型という。対して、ノーマリーオン型をディプレッション型という。パワー半導体ではトランジスタのスイッチング特性を問題にするのでこのような呼び方が普及していると推測する。

10-7 GaNでノーマリーオフへ挑戦！

ラフの線が立っているほど、立ち上がりが速いということです。ノーマリーオフではゲート電圧が0では、まだMOSFETがオンしていません。一方、ノーマリーオンではゲート電圧が0でもMOSFETがオンしています（ドレイン電流が流れている）。ゲート電圧を印加しない状態でMOSFETがオンすることはリーク電流があるということで、損失につながります。

　GaNは難しい言葉でいいますと固体物性的にシリコンに比較すると**二次元電子ガス密度**が高い、すなわち、電子の移動が大きいわけで、この現象が起こります。大胆にいえば、何もしなくてもゲートの下のキャリア密度が大きくなり、自然にチャネルができていると理解して良いでしょう。その対比を図表8-7-2に示しておきます。

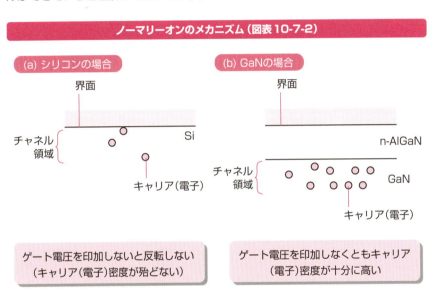

ノーマリーオンのメカニズム（図表10-7-2）

▶▶ ノーマリーオフのメリットとは？

　パワー半導体では高速スイッチングが重要ですから、3-4でもふれたように通常はノーマリーオフ型が用いられます。

　たとえば、GaNを自動車用インバータのパワー半導体に用いる場合を考えると、制御回路の簡素化やフェールセーフ*の原理から、一般にノーマリーオフが用いられます。また、直流コンバータとして用いる場合もノーマリーオフ動作が必要になります。

＊**フェールセーフ（fail safe）**　安全工学、信頼性工学の用語で装置・機器、システムなどが誤動作や誤操作しても常に安全に動作するようにする考え。

10-7 GaNでノーマリーオフへ挑戦！

▶▶ ノーマリーオフ化の対策

　GaN FETは前記のように自然とチャネルができているような状態ですから、ノーマリーオフ化には通常の構造では駄目であることは容易に推測が付くと思います。つまり、ゲートの閾値電圧を上げてやる必要があることからゲートとチャネル形成領域を近づける必要があります。したがって、対策としては**リセス化**などが考えられています。

　図表10-7-3にリセス化の模式的な構造を示します。ここではゲートの下のAlGaN層に溝を形成するものです。もちろん、プロセスが複雑になるというデメリットもありますので、現在は色々な開発が進んでいます。

　なお、紙面の都合上、ノーマリーオフ化の代表としてリセス化を紹介しましたが、他にも色々な構造が提案されているのが現状です。

リセス構造型のGaN FET（図表10-7-3）

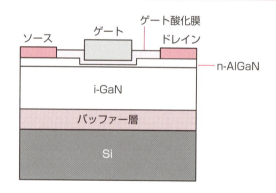

▶▶ GaNの魅力

　パワー半導体以外にもGaNの高速性を活かして、HEMT（High Electron Mobility Transistor）という高速トランジスタを作っています。モバイルWiMAX用＊の送信向けの高速、増幅デバイスです。

　また、動作の原理などは全く異なりますが、GaNは青色発光ダイオードの材料にもなっていますし、ブルーレイの読み出し用の短波長レーザに採用されています。このようにGaNは応用の幅の広い「旬」の半導体材料になっています。

＊ **WiMAX**　Worldwide Interoperability for Microwave Accessの略です。高速・大容量のモバイルブロードバンド通信のことである。

10-8

ウェーハメーカの動向

ここではパワー半導体用のSiCやGaNのウェーハ製造メーカの動向についてふれます。読み物として読んでください。

▶▶ コストが課題

ここまでふれたようにSiCもGaNも材料としては魅力的ですが、ウェーハの製造法が難しいという面があります。

SiCウェーハの課題はウェーハ価格です。量が出てくればという議論はありますが、まだまだシリコンと比較すると高価です。一昔前は4インチで30万円ほどでした。まだ、市場が大きくないので下がっていないようです。6インチの実用化も始まり開発ベースでは8インチ化も実現されているようです。

▶▶ SiCウェーハビジネスの変化の激しさ

SiCウェーハはシリコンウェーハと違って、米国CREE(クリー)が独占に近い状態を示してきましたが、色々なウェーハメーカが国内外を問わず登場しています。特にベンチャー企業が参画を考えています。

一方で、ひとつの例として紹介しますが、国内の大手金属メーカが(シリコンウェーハのメーカとして有名です)、SiCウェーハの開発・事業開発から撤退し関連資産を競合化学メーカに譲渡するなど動きが激しい分野であり、最近の動向に目が離せません。企業同士のコラボレーションも盛んです。興味のある人は業界紙などを参考にしてください。

新しい動きとして自動車メーカは4-4で述べたようにHVやEVに搭載するインバータとして耐熱性のあるSiCのIGBTの採用に興味を示しており、日産自動車、トヨタ、デンソーなどの自動車関連メーカはSiCを用いたパワー半導体を開発しており、SiCの内製も行っているようです。このように自動車およびその関連メーカの内製化やベンチャー企業の参入など業界の流動性の大きい分野になりつつあります。

以上、断片的ながらSiCウェーハの現状を述べてみました。シリコンウェーハも発展期には多くの業種から参入してきましたが、結局は国内では数社しか残りませ

10-8 ウェーハメーカの動向

んでした。今後の動向に注目してゆく必要があります。

GaNウェーハの動向

　GaNウェーハビジネスには、色々な企業が参画しております。実際のところはGaNウェーハというよりはシリコンウェーハ上にGaNヘテロエピタキシャル成長を行うサービスというビジネスが主流です。

　既に6インチまで可能のようです。しかし、いまのところは、パワー半導体への応用よりも照明用LEDへの応用などが直近の主流のようです。一方で自動車メーカ関連企業などでは、自立GaNウェーハ（GaN単体ウェーハでヘテロエピタキシャルウェーハではないことをいいます）内製化を考えているようです。

　参考までに図表10-8-1にGaNウェーハのパワー半導体で期待される領域を示してみました。

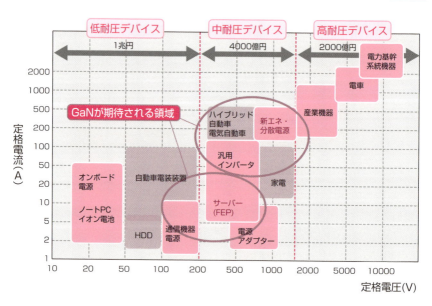

パワーデバイス市場規模とGaN応用分野（図表10-8-1）

出典：古河電気工業ホームページ

10-8 ウェーハメーカの動向

時代は巡る

基板材料の話で昔話も含め、色々と書いておきたいと思います。第6章でふれましたが、シリコンウェーハはだいぶ前ですが半導体メーカで内製しておりました。Siemens法とかDashネッキングなどはその成果です。我が国も含め、初期段階では総合電機メーカの方で着手されました。

その後、他の半導体メーカでも内製化され、筆者の在籍した会社でも内製していました。筆者の僻目かもしれませんが、当時はウェーハのエンジニアの方が威勢がよかったような記憶があります。その後、色々な分野（化学、金属、機械など）のメーカが参入しましたが、結果的に生き残っている会社は数社です。その変遷はめまぐるしく会社名の変更をフォローするのに大変です。

この章で取り上げたSiCやGaNは、特に発光デバイスへの応用も考えられていました。青色発光ダイオードの材料開発は、筆者の在籍した会社も含め、色々な会社でそれぞれの材料や方法で行われていた時期がありました。本文にも書きましたが、SiCウェーハへの参入メーカの変遷も激しいようで、シリコンウェーハ時代のデジャブを見る感があります。

そんな中でSiCやGaNウェーハも自社で内製を図ろうという動きが自動車関連メーカで出ており、注目したいところです。

また、それとは別にSiCパワー半導体の実用化もどんどん進み、JR東海が新しい新幹線モデル「N700S」（SはSupremeの意）にSiC素子を使った駆動モジュールを採用して2020年7月にデビューしました。その結果、電力消費量の削減を達成したそうです。

SiC素子は国内パワー半導体メーカとの共同開発です。新型車両に乗るのが楽しみですね。発車時、どんな音がするのでしょうか？（4-3参照）。

第11章

パワー半導体が拓く脱炭素時代

最後となるこの章ではパワー半導体が拓く21世紀の脱炭素時代のトピックスを取り上げてみました。読み物として読んでいただいてもかまわないと思います。併せてパワー半導体に期待されることにふれました。

11-1
脱炭素時代とパワー半導体

21世紀はグリーンエネルギーの時代ともいわれています。ここではその上流から下流までの流れの中でパワー半導体の活躍する場所を俯瞰したいと思います。

▶▶ 脱炭素時代

これまでの動きを振り返ります。元米国大統領オバマ氏はグリーンエネルギーに投資し、全米送電網を近代化（スマートグリッド化）する景気刺激策を発表しました。これをグリーン・ニューディール政策*と呼びました。

その後、米国だけでなく、リーマンショック以降の景気浮揚策として、各国版グリーンディール政策というべきものが発表されました。世界各国の動きとして、太陽光や風力など「再生可能エネルギー」や高速鉄道網や送電線網の近代化などのクリーンエネルギーになどから家庭での省エネルギーまで色々な課題に投資しています。

我が国でも身近なところでは、エコカーの普及や太陽熱といった再生可能なエネルギーに補助金を出す政策を行ってきました。

「クリーンエネルギー」、「再生可能なエネルギー」、「低炭素社会」などのキーワードが目白押しです。しかし、時代のキーワードは、常に変わってゆきます。最近では「脱炭素社会」や「カーボンニュートラル」がキーワードになっています。技術的には、何が本筋なのかを見極めてゆくことが重要です。

いまの流れによる課題を、数値や年度別にして筆者なりにまとめると図表11-1-1に示すように再生可能なエネルギーの利用、次世代送電網、低環境負荷交通インフラ、オフィス・家庭での省エネなどになるかと思います。加えて、それらによる新技術や雇用の創出が最重要課題です。

▶▶ 電源の多様化

いちばんのもとは、どんなエネルギー網を形成してゆくかだと思います。4-2で説明した従来の発電・送電インフラに加え、再生可能な風力発電、太陽光発電など大規模発電によるものや、燃料電池など小規模電源、あるいは移動可能な電源といってもいいかもしれませんが、色々なレベルでの電源が必要になり、これらが、次

---

*グリーン・ニューディール政策　グリーン・ニューディールのネーミングは1930年代、米国の不景気対策として行われたニューディール政策にかけたものである。

11-1 脱炭素時代とパワー半導体

に述べるスマートグリッドの中で従来のインフラとは、一画を画したパワーサプライ源になることはいうまでもありません。

風力発電所はウインドファームとか呼ばれ、大規模太陽光発電設備はメガソーラなどと呼ばれるように時代を代表するキーワードになりつつあります。我が国でも色々な取り組みが行われていることはご存知のとおりです。

以下、図表11-1-1に示された上流から下流までの課題を見てゆきたいと思います。

パワー半導体には、高性能化・小型化が求められ、それはデバイス構造の工夫や第10章でもふれたSiCやGaNなどの新材料への変換にもつながってきます。

その中では既に紹介したように自動車およびその関連メーカが自社開発を行っているところもあります。LSIの世界では水平分業化が進んでいますが、パワー半導体の分野では、キー材料やキーデバイスを中心にした垂直統合型のビジネスモデルが成り立ちうるものと思います。

上流から下流までグリーンエネルギーの課題（図表11-1-1）

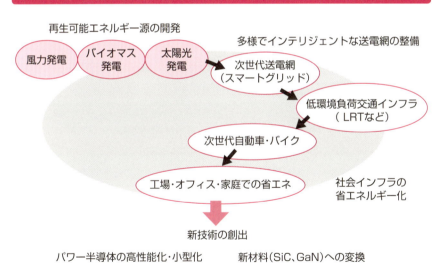

11-2
再生可能エネルギーに欠かせないパワー半導体

はじめに再生可能エネルギーの代表として太陽電池のメガソーラを取り上げます。グリーンディール政策とともに欠かせないキーワードがクリーンエネルギーです。その最たるものが太陽電池です。

▶▶ 太陽電池とは？

太陽電池という言葉が一般的になっていますが、これは英語のsolar cellを訳したものであり通常の電池のように思われがちですが、一般的に使用される一次電池や二次電池と同じ意味の電池ではありません。正確には太陽光の「光電変換装置」と呼ぶものでしょう。特許の名称などでは光電変換装置の表記が使用されることもあります。

この太陽電池の仕組みを簡単に説明しましょう。図表11-2-1に示すように半導体のp-n接合（ここでもp-n接合は重要な役割をします）付近で太陽光を吸収させ、発生した電子と正孔をそれぞれ両方の電極方向に集め、起電力を発生させ、光エネルギーを電気エネルギーに変換するものです。4-6に記した発光ダイオードのp-n接合とは逆の作用であることがわかると思います。

太陽電池の原理（シリコン結晶の例）（図表11-2-1）

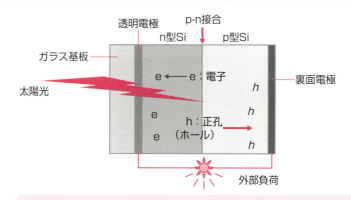

注）光(可視光)エネルギーを電気エネルギーに変換→エネルギー変換装置
蓄電機能は有していない。

11-2 再生可能エネルギーに欠かせないパワー半導体

太陽電池は電池としてあらかじめ電気エネルギーを貯めておき、必要なときに取り出せるものではありません。そこで、太陽電池で作られた電気エネルギーは別に設置した蓄電池に保存しておきます。この大規模なものがいわゆるメガソーラです。

太陽電池で作られる電気は各セルを直列に配列することで直流電圧の電気として取り出すことができます。これを交流に変えてやる必要がここでも生じます。

▶▶ パワー半導体はどこに使用される？

太陽電池では、直列につないでも商用電源としてすぐには使用できません。そのために昇圧して、直流を交流に変換する必要があります。ここでも10-3で記した昇圧回路とインバータが活躍するわけです。それを**パワーコンディショナー**といいますが、模式的に図表11-2-2に示してみました。

このパワーコンディショナー（略してパワコンと呼ばれます）は産業用から住宅用まで需要が見込まれるため、色々な参入メーカが存在しています。我が国では住宅用では家電メーカ、重電メーカ、太陽電池メーカが、産業用ですと重電関連企業や電源機器メーカなどが参入しています。その中にはパワー半導体メーカもあります。

太陽電池でのパワー半導体の役割（図表11-2-2）

▶▶ メガソーラ計画

我が国の各電力会社9社だけでなく色々な事業者がメガソーラ計画を打ち上げています。太陽電池以外の風力発電など自然エネルギーを用いた発電計画が進んでいることに注目です。パワーコンディショナー市場の拡大も期待されます。

11-3
スマートグリッドとパワー半導体

21世紀の次世代送電網としてスマートグリッドが注目されています。ここでは全体を俯瞰する意味でスマートグリッドとパワー半導体の関係を述べてみます。

▶▶ スマートグリッドとは？

スマートグリッドという言葉が注目されています。電力網の21世紀的インフラは「スマートグリッド」（smart grid）と呼ばれ、強いて訳せば「賢い電力網」とでもなるのでしょうか？ グリッドというと筆者などは真空管のグリッドを思い出す世代ですが、21世紀はスマートグリッドの時代です。これは「エネルギーのネットワーク網」という意味でネットワーク時代の申し子ともいえます。

スマートグリッドとは、既存の**集中型大規模電源**と太陽電池などに代表されるような再生可能なエネルギーを用いた**分散型電源**の大量設置に向けての送配電網の一体化による運用、更には高速通信ネットワーク技術を活用し、大規模電源や分散型電源と供給側の需要をトータルに管理するものです。もちろん、余剰エネルギーはグリッド網に回収され、再利用されます。この際に電力変換の働きをするのがパワー半導体であることはいうまでもありません。

また、これらの送電網から工場、商用施設、官公庁やオフィス、一般家庭への配電も回収も含めて、「賢く」行われるわけです。我々の住居も多様な電源に守られるというイメージです。それを図表11-3-1にまとめています。

また、図表11-3-1に示されたようにスマートグリッドは大規模な送電系統を前提にしていますが、発電とその消費が小さなエリアに限定されたマイクログリッドというものが提案されています。もちろんこの中でもスマートグリッドの考え方を入れ効率化を図ってゆきます。

▶▶ スマートが流行？

最近はスマートフォンに代表されるように「スマート」を頭に付ける言葉がはやっているようです。ハイテク、インテリジェントなものはスマートということで

11-3 スマートグリッドとパワー半導体

スマートグリッドになると何が変わるか（図表11-3-1）

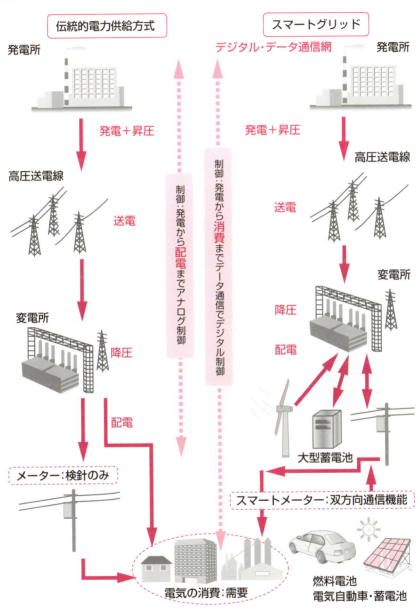

山藤泰『図解入門よくわかる最新スマートグリッドの基本と仕組み』（秀和システム）より許可を得て転載

11-3　スマートグリッドとパワー半導体

しょうか？

　図表11-3-2には欧米で既に導入が始まり、東京電力が既に導入を始めたスマートメータ（通信機能付きの電力量計）の例を示しておきます。これにより検針の手間も不要になりました。

スマートメータの例（図表11-3-2）

©EVB Energy Ltd

　参考までにスマートメータの件を補足しておきますと、EU統合の際、電力の周波数を統一した欧州では試験的なケースも含めて、普及が進んでいるようです。マルタ共和国（国土面積が東京23区の半分ほど）のように全国的にスマートメータの促進を進めやすいというモデルケースのようなものから、先進国ではイタリアのように早くから取り組んでいる国もあります。

　全世界的にもこれからのスマートグリッド化の中で推進されてゆくと思います。スマートグリッドは今まで一方向だった電力の流れを、双方向からネットワーク化するものであり、図表11-3-3に示すように左側の従来のインフラから将来は右側のインテリジェントなインフラに変えてゆく必要があると思います。

11-3 スマートグリッドとパワー半導体

スマートグリッドとスマートメータ（図表11-3-3）

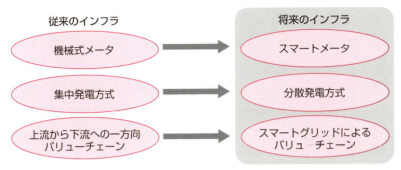

出典：IBM発表資料を元に作成

▶▶ スマートシティー

　更に一歩進んだ計画としてはスマートシティーと呼ばれているものがあります。図表11-3-4にその例を示します。これはスマートグリッドや再生可能エネルギーの利用をITで管理して省エネを更に進める環境配慮型都市と呼べるものです。首都圏ですと「柏の葉スマートシティー」などがモデルとして動いています。一方で、これはIoT技術の横断的な活用という意味でも面白いと思います。

スマートシティーの概念図（図表11-3-4）

出典：国土交通省のWebニュースレター新時代Vol.71を元に作成

第11章　パワー半導体が拓く脱炭素時代

231

11-4
電気自動車（EV）と
パワーデバイス

最近、電気自動車への移行が加速しています。電気自動車は二次電池を搭載し、モータで駆動する自動車です。最近は小型の軽量な交流モータが開発されて実用化が進んでいます。二次電池の電源を昇圧し交流にするにはパワー半導体が欠かせません。

▶▶ EV化の加速

EVとは、Electric Vehicleの略で文字どおり、電気自動車のことです。最近の世界的な流れとしては、EV化への移行（EVシフト）が加速していることです。

新興国を中心にHV（ハイブリッド車）を「パス」してガソリン車から一気にEVに移行する流れです。今更HV技術に注力しても我が国を始めとする先進国に勝てないという思惑もあるかと思います。中国やインドなど巨大市場を持つ新興国でのビジネスの成功にもEV化に乗り遅れてはいけません。また、HVがエンジンとモータを搭載するのに対してEVはモータのみですので、構造もシンプルになるというメリットがあります。「EVシフト」がキーワードになっています。

既に国内では多くのメーカがEV車を販売しており、その中でもEVに経営資源をシフトさせ始めたところもあります。当然ながらEVでは、ガソリンは消費せず、エンジンではなく電気でモータのみを回転させ、駆動するものです。したがって、脱炭素化を実現しています。加えてEV化により使用する半導体デバイスの量が2倍になるともいわれ、自動車メーカ以外からの参入もみられます。

電源は車載になり、主流は二次電池を用いるもので、通常はリチウムイオン電池やニッケル水素電池です。二次電池ですので、充電設備が必要になります。最近は大きな駐車場には殆ど充電設備があります。外部充電設備は200V、30Aになっています。

一時、燃料電池（FCC；Fuel Cell Vehicle）搭載の電気自動車の開発も進められましたが、これは電池が水の電気分解とは逆の水素と酸素の反応を利用するものです。そのための水素ステーションの普及が進んでいないこともあり、国内ではトヨタとホンダが、それぞれ1車種を販売している状況でしたが、ホンダは生産を中止

する方向です。

▶▶ EVの仕組み

前述のように小型で軽量な交流モータが開発されており、EVではこの交流モータが主流になっています。

二次電池の電源をコンバータで昇圧し、インバータで交流にするにはパワー半導体が欠かせません。4-5をもう一度、見直してください。また、モータを駆動するには三相交流が最適で、その構成は図表10-4-3に示したものになります。

EVのモータと電源および充電口の模式図を図表11-4-1に示しました。最近は大きな駐車場に行くと必ず充電設備があり、今後ますますEV化が進むものと思われます。更にはこの充電設備もスマートグリッドに組み込まれることになりそうです。

また、車載用インバータの小型化の開発も自動車関連メーカや充電メーカで進んでいます。

第10章でふれたSiC化もその流れのひとつで、現行は大電流駆動に適しているIGBTを用いていますが、これをSiCのMOSFETに置き換えることで燃費向上が図れるという報告もあります。

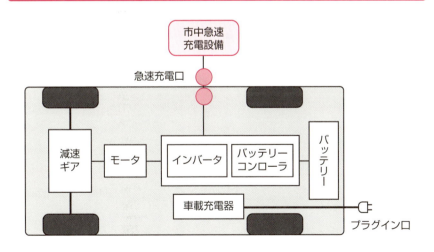

EV構成の模式図（図表11-4-1）

EVは電子制御の塊

もちろん、モータ以外に図表11-4-2に示すようにバッテリーの直流を降圧して、温調関係、パワーステアリングなどの42V系電源、ワイパー、パワーウィンドウ、オーディオ、ナビの14Vまたは12V系電源を作るDC-DCコンバータが必要になります。

加えて、モータ駆動も含めたこれらの制御、パワーマネージメント、安全対策の各種センサやその管理など、ますます車は電子制御の塊になると思われます。

電動バイクなど

もちろん車だけでなく、電動バイク（スクーター）などにも応用されます。充電などのインフラが普及すれば一気に加速するかもしれません。

最後に蛇足ながら、パワー半導体以外の話ですが、二次電池のシェア争いも最近中国メーカなどが台頭しており、国内メーカの巻き返しが注目の的です。

また、急速充電設備は世界で色々な方式が規格化・実用化されています。我が国では三菱自動車や日産自動車で開発されたCHAdeMO（チャデモ）方式ですが、全世界的に標準化の流れが進むとすれば、それに遅れないようにする必要があります。

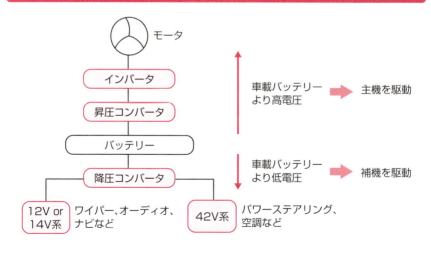

EVの電源系（図表11-4-2）

11-5
21世紀型交通インフラとパワー半導体

前節では自動車への応用にふれましたので、ここでは鉄道などの交通インフラへの応用を見てゆきます。最近、ガソリンエンジンよりクリーンなエネルギーということで鉄道が見直されてきています。

▶▶ 高速鉄道網とパワー半導体

先進国や新興国でも高速鉄道網を作ろうという動きになっています。現状、**高速鉄道網**の需要がある国には、我が国の新幹線システムの売り込みに官民一体で取り組んでいます。国内でも函館と鹿児島が新幹線で結ばれ、高速鉄道への期待が高まっています。図表11-5-1に世界のリニア以外の高速鉄道網の計画の主な例をまとめてみました。北米や欧州に加え、BRICsなどの新興国やヴェトナム、マレーシア、インドネシアなどでも計画があります。この高速鉄道網を見込んでパワー半導体の需要も期待されています。

世界の主な高速鉄道網計画概要（図表11-5-1）

出典：各種資料や報道を元に作成

11-5 21世紀型交通インフラとパワー半導体

4-3でも述べたように高速鉄道用の交流モータの駆動にはパワー半導体が欠かせません。パワー半導体に強い我が国の強みを発揮したいところです。

▶▶ 路面電車の見直し

高速鉄道だけではありません。身近なところで鉄道が見直されています。筆者の少年時代は大都会でも地方都市でも路面電車が走っていました。筆者も大学生の頃まで乗っていましたが、車社会の発展とともに邪魔者扱いにされ、撤去されていきました。最近は地方都市を中心に一部に残るだけです。しかし、今でも長崎や函館のように観光客の足になって活躍しているところもあります。

図表11-5-2に国内の路面電車のマップを示してみました。国土交通省によると17都市20事業者で総延長が約206km（平成25年12月末時点）だそうです。このうち、富山市では既に**LRT**（Light Rail Transit）を導入して注目を集めています。

我が国でも国土交通省が**LRTプロジェクト**を立ち上げ、LRT導入支援策を計画しています。

そのため、最近は宇都宮市のようにLRTを導入する動きが地方都市で出ているようです。図表11-5-3には富山市のLRTを示します。

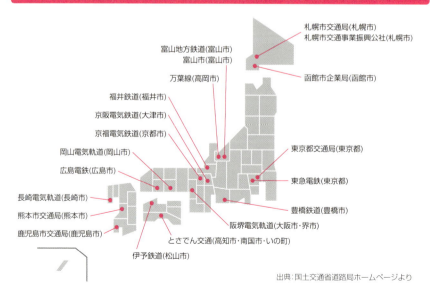

日本の路面電車の概要（図表11-5-2）

出典：国土交通省道路局ホームページより

11-5 21世紀型交通インフラとパワー半導体

富山市のLRT「セントラム」（図表11-5-3）

このように高速鉄道以外の鉄道関係でもパワー半導体の出番が増えてくると思います。日本と似た都市交通インフラが多い西ヨーロッパでもLRTは普及が進んでいます。余談ですが、筆者は幸いにも、仕事で行ったドイツのシュツットガルト（Stuttgart）でLRT（S-Bahnと呼んでいます）に乗りました。悪くない乗り心地でした。シュツットガルトは地下鉄（U-Bahnと呼んでいます）も一路線は走る都市ですが、両者共存しているようです。空港や郊外とのアクセスは地下鉄で、市の中心街での移動はLRTという役割分担が決まっているモデルのようです。我が国でも、特に三大都市以外の地方広域都市でも参考になるように思います。

▶▶ 燃料電池車

11-4でふれたように自動車産業ではEVシフトが進み、自動車メーカのみならずエレクトロニクスメーカまで参入するニュースがありました。そして、全世界的なEVシフトに対応するため、我が国の自動車メーカが、それぞれの目標を公開しているのはご存じのとおりです。

一方で燃料電池（FCC）車は、ひところの勢いをなくしています。しかし、鉄道の世界ではJR東日本が燃料電池を用いる試験車両「HYBARI」を発表しました。約90kgの水素で約140Kmを走るとのことで非電化区間での実用化を考えているようですが、水素ステーションの設置場所や自動車用との共通化など課題もあります。新しい動きとして紹介しました。

11-6
期待される横断的テクノロジーとしてのパワー半導体

21世紀型エネルギーネットワークに占めるパワー半導体の役割は、色々な分野での横断的テクノロジーとして期待されるポテンシャルを有しています。

▶▶ パワー半導体の復権

ここでは、11-1で述べたことをパワー半導体の視点に立って見てみたいと思います。まず、第4章でも出してみたパワー半導体の大きな役割の図を、少し手直しして図表11-6-1に再掲載してみました。パワー半導体はエネルギー供給側とエネルギー需要側から高効率化、低コスト化、高性能化などで期待される分野といえます。つまり、上流側からも下流側からも期待の重圧に晒されるデバイスともいえます。しかし、一方では応用範囲も広く、その横断的テクノロジーとなりうる潜在力があると思います。

しかも、技術的課題は第6章や第9章から第10章でふれたように基板材料からデバイス構造まで幅広く存在します。第4章でも少しふれましたが、我が国の半導体産業を見直す面でも好適な分野と思われます。かつては世界シェアの半分を確保し、世界一を誇っていた日本の半導体産業ですが、いまでは世界シェアの10%程度という状況のため、日本の半導体は駄目だというような論調もあります。

しかし、一方ではパワー半導体の分野では第8章でふれたように健闘しています。パワー半導体は基板材料の開発から応用製品まで、ノウハウの塊のようなものであると思います。図表11-6-2に示すような「垂直統合型」のモデルが成り立つ分野で日本が得意ともいえます。たとえば、ファブレスのパワー半導体メーカが成り立つかというようなことを考えてみても、この分野では我が国の半導体メーカが生き残ってゆく道があるように筆者には思われます。

▶▶ 時代のキーワードになりうるか？

繰り返しますが、キーワードは刻々変わってゆきます。しかし、21世紀は環境・エネルギーの世紀というのは当面変わらないのではないかと思います。そんな中、

11-6　期待される横断的テクノロジーとしてのパワー半導体

パワー半導体の活躍できる応用市場の開発が、カーボンニュートラル政策やスマートグリッド戦略によってますます重要になっていると思われます。

パワー半導体は基板材料の開発から応用製品まで、ノウハウの塊のような面もあり垂直統合型モデルに近い面があります。その分野に強みを有する我が国の参画企業の飛躍を期待します。

パワー半導体の復権（図表11-6-1）

我が国の強み
・現状シェア大
・基板技術に強い
・再生可能エネルギーの開発が進む
など

横断的テクノロジー分野

エネルギー供給源
↓ 期待
パワー半導体（パワーエレクトロニクス）
↑ 期待
エネルギー需要者

・従来電源
・再生可能電源
・鉄道
・自動車
・無停電電源
・家電
その他

パワー半導体の垂直統合型ビジネスモデル（図表11-6-2）

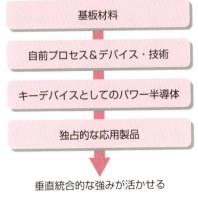

基板材料
↓
自前プロセス＆デバイス・技術
↓
キーデバイスとしてのパワー半導体
↓
独占的な応用製品
↓
垂直統合的な強みが活かせる

・垂直統合型はかっては総合電機メーカを中心に存在した。
・パワー半導体のランキング上位には総合電機メーカを母体にしているところも多い。

11-6　期待される横断的テクノロジーとしてのパワー半導体

　LSIの分野では、第8章でふれたように微細化一辺倒のスキームの変更を余儀なくされ、モア・ザン・ムーアなる用語でくくられた微細化以外の分野もロードマップに2006年頃から挙げられるようになりました。その候補のひとつとして、パワーデバイスも挙げられていることは前述しました。また、微細化には付いて行けないという半導体メーカが多くなり、既に国際ロードマップ委員会の活動は2016年に発展的に解消しました。そんな中でパワー半導体の今後の発展が注目されていると思います。

素材、キーデバイスの生き残り

　筆者が働く機会を得たエレクトロニクスメーカのうち、最初にお世話になった会社は当時フェライトをはじめ、セラミクスや磁気材料などを応用したエレクトロニクス部品を製造していたので、入社当時の製造実習（まだ、そういうものがあった時代です）や新人時代には「当社は素材を持っているから強いのだ」ということを何度も聞かされました。

　そのとおりなのでしょうが、当時はお題目のように聞こえました。フェライト工場での製造実習では、原料の粉にまみれ、寮に帰ってからの風呂が楽しみでした。

　次に働く機会を得た会社は、創業者が学生時代から発明者として名高い方だったので、「よそがやらないことをやる」ことに注力していたように思います。その中でキーデバイスは、自社で作ることに重きを置かれ、まだ小さい会社だったころに貴重な資源を使い、自社で半導体を作り、世界で初めて自社製のトランジスタを使ったトランジスタラジオの製造・販売にこぎつけたことは何度も聞き、読みました。

　このように若い時分に素材やキーデバイスの重要性を聞かされたので、筆者はその信者かもしれません。そんなことを頭に入れて読んでいただければと思い出ばなしをしました。

　ただ、時代のキーワードが変わっていくように、その時代の求める素材、キーデバイスも変化してゆきます。特に11-1でふれたようにエネルギー関連のキーワードというかキャッチフレーズはめまぐるしく変わります。時代を見る眼が試されていると思います。

索 引
INDEX

数字

(100) 基板	77
(100) 面	129
4H	201
6H	201
Ⅲ族	30
Ⅳ族	30

英字

AC	14
AS	196
ASIC	196
base	37
bipolar	37
Czochralski	113
collapse	210
CMOS	22
CMOSインバータ	52
collector	37
converter	15
CPU	13
CSTBT	192
CVCF	92
CZ法	114
C軸	201
DC	14
dicing	147
diode	56
DIP	195
fail safe	217
FCC	232
FET	46
Foucault	95
FZ法	114
GaN	212
Ge	31
GE	45
GTOサイリスタ	66
HV	50
Hybrid Vehicle	89
IC	43
IEGT	191
IGBT	49
IH	94
induction motor	85
intrinsic	214
inverter	15
IPM	194
ITRS	161
JEC	107
LED	95
Light Rail Transit	85
LRT	236
LRTプロジェクト	236
LSI	23
MEMS	13
MOSFET	24
MOS型	22
MOSトランジスタ	24
MPU	13
nmノードとハーフピッチ	180
NTD	119
n型不純物	30
nチャネル	68

Pad	145
planar型	180
p-n接合	31
positive hole	28
PT型	187
p型不純物	30
Rapid Thermal Annealing	140
reactance	82
RIE	130
RoHS	152
RTA装置	140
SCR	45
SEMI	111
Si	30
SiC	200
SiCインバータ	209
Siemens社	112
SiO2/Si界面	208
smart grid	228
trench型	180
UPS	92
VD-MOSFET	69
WiMAX	218

あ行

後工程	144
アライナー	137
異方性エッチング	71
イレブン・ナイン	112
インバータ	15
インピーダンス	68
ウェーハ	110
ウェーハ薄化	138
ウェーハの形状	111
ウェッヂボンディング	155
裏面アニールプロセス	189
裏面露光装置	136
エキシマレーザアニール装置	139
エネルギーバンド図	69
エピ	131
エピタキシャル成長	75
エミッタ	37
エンハンスメント型	49
オートドーピング	133
オーミックコンタクト	214
オン・オフ比	64
オン・セミコンダクター	177
オン抵抗	76

か行

界面準位	208
回路検証	125
化合物半導体	100
ガスサイラトロン	65
ガスドーピング法	119
可制御素子	104
活性領域	63
価電子帯	200
可変電圧可変周波数型	86
ガリウム	212
還流ダイオード	135
寄生デバイス	134
キハE200型	88
逆変換	15
キャリア	24
キャリアテープ	147
空乏層	102
クラーク数	111
グリーンディール政策	224
珪素	200
結晶方位	113
ゲルマニウム	31、110

降圧チョッパー･････････････････････ 210
高純度多結晶シリコン ･････････････ 113
高純度の不純物 ･･･････････････････ 119
高速鉄道網 ･･･････････････････････ 235
交流 ･････････････････････････････ 15
交流電化 ･････････････････････････ 85
コレクタ ･････････････････････････ 37
コンバータ ･･･････････････････････ 15

さ行

再結合 ･･･････････････････････････ 39
サセプター ･･･････････････････････ 202
サブスレッショルド特性 ･･････････ 216
三相交流 ･････････････････････････ 82
三端子デバイス ･･･････････････････ 34
ジーメンス ･･･････････････････････ 174
ジーメンス法 ･････････････････････ 112
自己保護機能 ･････････････････････ 194
遮断領域 ･････････････････････････ 63
シャロー・トレンチ・アイソレーション
　････････････････････････････････ 130
集中型大規模電源 ･････････････････ 228
周波数変換 ･･･････････････････････ 15
種結晶 ･･･････････････････････････ 113
順変換 ･･･････････････････････････ 15
昇圧チョッパー ･･･････････････････ 210
シリコン ･････････････････････････ 31
シリコンインゴット ･･･････････････ 114
シリコンウェーハ ･････････････････ 110
シリコン系ガス ･･･････････････････ 131
シリコンサイリスタ ･･･････････････ 86
シリコン芯 ･･･････････････････････ 112
シリコン制御整流器 ･･･････････････ 65
シリコン整流器 ･･････････････ 45、86
新幹線 ･･･････････････････････ 86、221
真空管 ･･･････････････････････････ 29

真性半導体･･････････････････ 30、113
真性領域 ･････････････････････････ 214
水銀整流器 ･･･････････････････････ 45
垂直統合型 ･･･････････････････････ 173
スイッチング ･････････････････････ 28
スイッチング損失 ･････････････････ 192
スマートグリッド ･････････････････ 224
スマートグリッド戦略 ･････････････ 239
スマートシティー ･････････････････ 231
スマートメータ ･･･････････････････ 230
正孔 ･････････････････････････････ 28
静電破壊 ･････････････････････････ 147
整流作用 ･････････････････ 15、45、57
赤外線ランプアニール装置 ･････････ 140
接合の重ね合わせ ･････････････････ 104
接合面 ･･･････････････････････････ 32
接地 ･････････････････････････････ 62
造語 ･････････････････････････････ 36
送電 ･････････････････････････････ 82
送電と配電 ･･･････････････････････ 82
素子間分離領域 ･･･････････････････ 24
粗に仕上げ ･･･････････････････････ 143

た行

ダイ ･････････････････････････････ 144
ダイオード ･･･････････････････････ 56
大口径化 ･････････････････････････ 113
ダイシング ･･･････････････････････ 147
耐熱性樹脂 ･･･････････････････････ 158
ダイヤモンド砥粒 ･････････････････ 142
ダイヤモンドブレード ･････････････ 147
太陽電池 ･････････････････････････ 226
多数キャリア ･････････････････････ 32
縦型 ･････････････････････････････ 68
縦型二重拡散型 ･･･････････････････ 69
炭化珪素 ･････････････････････････ 100

単機能半導体	19
ダングリングボンド	208
窒化ガリウム	100
チップ	120
チャネル	42
中性子照射法	119
注入促進型絶縁ゲートトランジスタ	191
チョクラルスキー	113
チョクラルスキー法	113
直流	14
直流電化	85
チョッパー	91
低下	77
定格	107
抵抗率	119
ディスクリート半導体	80
定電圧定周波数方式	92
低不純物領域	206
電圧制御	68
転位	116
電界効果型トランジスタ	46
電荷蓄積型トレンチバイポーラトランジスタ	192
電子	28
電子しか用いません	103
点接触型	31
伝導帯	200
伝導度変調	70
電流制御	68
電力損失	181
電力の変換	14
電力変換装置	98
銅ワイヤ	154
ドライエッチング	71
トランスファーモールド方式	157
トリクロロシラン	112
トレンチ型	181

な行

ナノコンポジット型	158
二次元電子ガス密度	217
二端子デバイス	106
ネッキング	116
燃料電池	232
能動素子	20
ノーマリーオフ	68
ノーマリーオフ型	68
ノーマリーオン	217

は行

配電	82
ハイブリッドカー	89
バイポーラ型	37
パターンシフト	133
バックグラインド	141
パッケージ	144
バッチ式	132
パッド	145
バッファー層	214
パワーMOSFET	25
パワーエレクトロニクス	43
パワーコンディショナー	227
パワー半導体	10
パワーモジュール	195
パワコン	227
反転	48
バンドギャップ	102
反応性イオンエッチング	130
ヒートパイプ	197
非可制御素子	104
引き上げ法	113
秘伝のたれ	165

ファブレスメーカ ………………… 165
ファンドリー……………………… 165
フィールドストップ型 …………… 138
封止材料 …………………………… 156
フェールセーフ …………………… 217
不純物濃度 ………………………… 25
プレーナ型 ………………………… 181
フローティングゾーン法 ………… 113
分散型電源 ………………………… 228
ベース ……………………………… 37
ヘテロエピタキシャル成長 ……… 212
ベルヌーイチャック ……………… 187
変換 ………………………………… 11
変換効率 …………………… 83、181
偏析 ………………………………… 119
硼素（ほうそ） …………………… 138
飽和電圧 …………………… 183、192
飽和領域 …………………………… 63
保護回路 …………………………… 96
ボディダイオード ………………… 134
ボロン ……………………………… 30

ま行

前工程 ……………………………… 144
無停電電源 ………………………… 92
メガソーラ計画 …………………… 227
モア・ムーア ……………………… 160
モア・ザン・ムーア ……………… 161
モールディング …………………… 156

や行

誘導モータ ………………………… 72
ユニポーラ型 ……………………… 103
横型 ………………………………… 74
横型IGBT ………………………… 76

ら行

ライトレール ……………………… 85
ライフタイムコントロール ……… 185
ラッチアップ対策 ………………… 131
リアクタンス ……………………… 82
リセス化 …………………………… 218
立方晶単結晶 ……………………… 200
両面アライナー …………………… 190
リン ………………………………… 30
冷却 ………………………………… 197
レーザアブレーション …………… 150
ロータリーディスク型 …………… 132

わ行

ワイドギャップ半導体 ……… 80、101
ワイヤボンダー …………………… 153
ワイヤボンディング ……………… 153

参考文献

　この本を書くにあたり参考にした主な著書は、下記のとおりです。

パワー半導体全体に関しては、
1)"パワーMOS FETの応用技術"、山崎　浩、日刊工業新聞社（1988）
2)"パワーエレクトロニクス学入門"、河村篤男編著、コロナ社
3)"パワーエレクトロニクスとその応用"、岸敬二、東京電機大学出版局
鉄道や自動車への応用をはじめ、各応用については
4)図解「鉄道の科学」、宮本昌幸、講談社ブルーバックス
5)"とことんやさしい電気自動車の本"、廣田幸嗣、日刊工業新聞社
6)"とことんやさしいエコデバイスの本"、鈴木八十二　日刊工業新聞社
7)"よくわかる最新電気の基本と仕組み"、藤澤和弘　秀和システム
　などを参考にさせていただきました。また、著書や論文の一部を参考にさせていただいたものもあります。すべて挙げ切れませんが、感謝いたします。なお、取り上げさせていただいた図や写真は出典を記しました。
　なお、市場や業界動向などは各メディアの報道を参考にしました。なお、行政や各企業のHPの資料も使用させていただきました。感謝いたします。

　最後に私事で恐縮ですが、本書を孫たちに捧げます。

著者

著者紹介

佐藤　淳一（さとう　じゅんいち）

京都大学大学院工学研究科修士課程修了。1978年、東京電気化学工業（株）（現TDK）入社。1982年、ソニー（株）入社。一貫して、半導体や薄膜デバイス・プロセスの研究開発に従事。この間、半導体先端テクノロジーズ（セリート）創立時に出向、長崎大学工学部非常勤講師などを経験。
テクニカルライターとして活動。応用物理学会員。
著書：「CVDハンドブック」（分担執筆、朝倉書店）
　　　：「図解入門よくわかる最新半導体プロセスの基本と仕組み（第4版）」（秀和システム）
　　　：「図解入門よくわかる最新半導体製造装置の基本と仕組み（第3版）」（秀和システム）

図解入門よくわかる
最新パワー半導体の基本と仕組み
[第3版]

| 発行日 | 2022年 6月10日 | 第1版第1刷 |

著 者　佐藤　淳一

発行者　斉藤　和邦

発行所　株式会社　秀和システム
　　　　〒135-0016
　　　　東京都江東区東陽2-4-2　新宮ビル2F
　　　　Tel 03-6264-3105（販売）Fax 03-6264-3094

印刷所　三松堂印刷株式会社　　　Printed in Japan

ISBN978-4-7980-6683-7 C3054

定価はカバーに表示してあります。
乱丁本・落丁本はお取りかえいたします。
本書に関するご質問については、ご質問の内容と住所、氏名、
電話番号を明記のうえ、当社編集部宛FAXまたは書面にてお送
りください。お電話によるご質問は受け付けておりませんので
あらかじめご了承ください。